Możemy stracić miłość, tak, to nie zależy
jedynie od nas, ale od nas zależy,
by nie stracić wiary w miłość.

KATARZYNA MICHALAK

ZAGUBIONA

Redakcja:
Anna Nowak

Korekta:
Beata Sawicka, Robert Janicki

Projekt okładki i stron tytułowych:
Katarzyna Michalak

Opracowanie graficzne okładki:
PANCZAKIEWICZ ART.DESIGN

Fotografia na okładce:
Elena Karagyozova/arcangel.com

Materiały graficzne:
fotolia.com, istock.com

Skład i łamanie:
Piotr Kuliga
www.kuligadtp.netgaleria.pl

Książkę wydrukowano na papierze Ecco Book Cream 80g, vol. 2.0

Druk i oprawa:
Abedik SA, Poznań

ISBN 978-83-951992-1-9

Wydanie I

Printed in Poland

KSIĄŻKA DOSTĘPNA RÓWNIEŻ JAKO E-BOOK I AUDIOBOOK

CZYTELNICZKI O TRYLOGII AUTORSKIEJ

To najbardziej dojrzała powieść Katarzyny Michalak. Dogłębnie przemyślana i przejmująca do bólu. Nie można o niej zapomnieć…

~mariola_polak1

Zastanawiacie się czasem, jacy naprawdę są pisarze? Kto tak naprawdę kryje się za wierszami czarnych liter na białych, szeleszczących kartkach i jakie tajemnice nosi w sercu? Ja już to wiem, dzięki „Pisarce", w której drzwi do swojego pełnego skrajnych emocji świata uchyliła mi Katarzyna Michalak. Piękna, wstrząsająca opowieść, wzbudzająca w czytelniku skrajne emocje.

~paulinadrawska1990

Nie mogłam się oderwać od historii o Weronice i Wiktorze, dopóki nie dotarłam do ostatniej strony. Z książkami pani Michalak już tak jest, że czyta się je niemal na jednym wdechu. Z pierwszym tomem Trylogii Autorskiej nie było inaczej.

~izabelaraj22

„Nieodkładalna" – to określenie pasuje jak ulał do pierwszego tomu „Pisarki".

~martaslysz18

To my, dorośli, ponosimy odpowiedzialność za to, jakie stanie się darowane nam przez łaskawy los dziecko. Bo każde dziecko to dar, tylko często zdajemy się o tym zapominać. Nie zastanawiamy się nad tym, jak nasze postępowanie wpływa na jego psychikę. Rzucamy nieuważnie jakieś słowo, nie myśląc o tym, że każde z nich pozostawia w dziecku jakiś ślad. To od nas przede wszystkim zależy, czy wychowywane przez nas dziecko będzie potrafiło kochać, czy wręcz przeciwnie – przyniesie światu nienawiść. Czasem jednak zdarza się tak, że dziecko, które od rodziców w „podziękowaniu" za swe istnienie otrzymuje wyłącznie ból – kocha najpiękniej. O tym właśnie jest ta opowieść – o miłości kilku-

letniej dziewczynki, szlachetnej jak diament, która rozkwitła w domu pełnym nienawiści...

~kaffka009

Wiele i wielu z nas odnajdzie w Weronice i Wiktorze cząstkę siebie, choć początkowo będzie wstydziło się do tego przyznać. Trudno się jednak temu dziwić, bo niełatwo wracać do bolesnych wspomnień. Nie można jednak milczeć na temat tego, co przeżywają dzieci, a co dzieje się za zamkniętymi drzwiami... Chwała Pani Michalak za to, że podjęła się tak trudnego i kontrowersyjnego tematu.

~mariamagon_99

„Pisarka" to książka wyjątkowa w dorobku K. Michalak. Nie tylko dlatego, że jest książką jubileuszową. Głównym powodem jej wyjątkowości jest to, że pisząc tę książkę pani Katarzyna wykazała się niezwykłą wrażliwością i delikatnością. Powinien ją przeczytać każdy z nas, dorosłych, by stać się lepszym człowiekiem...

~rozalia_blue

Kasiu, gratuluję Ci odwagi, przede wszystkim odwagi! Bo trzeba jej było wiele, by podjąć się tak trudnego tematu.

I dziękuję Ci jeszcze za siłę, którą w sobie znalazłaś, by napisać tę książkę.

~samantarusin1

To książka o miłości, która niczym jasny płomień rozświetla niekończący się mrok i nie pozwala się poddać. Na długo zostanie w mojej pamięci. Przeczytajcie, a przekonacie się o tym sami!

~slonko_twoje11

Jeśli coś się w życiu liczy, to nic innego ponad miłość, oddanie i lojalność. O tym właśnie chce przypomnieć Katarzyna Michalak, oddając w ręce czytelników swoją najnowszą powieść. Z całego serca Wam ją polecam!

~Karolina_B

Od Autorki

Książka, którą oddaję do Waszych rąk, nie jest autobiografią, ale… wszystkie zdarzenia w niej opisane miały miejsce naprawdę, a kanwą tej historii było życie bliskich mi osób.

Nie zgadujcie, ile Katarzyny Michalak jest w „Zagubionej", nie ma to sensu. Po prostu dajcie się porwać opowieści pełnej miłości i nienawiści, uczuć pięknych i uczuć podłych, ludzi po prostu dobrych i ludzi bezwzględnie złych. Zapadnijcie się w nią, czytając, tak jak ja się zapadłam, pisząc tę historię.

Mam nadzieję, że „Zagubiona" skradnie Wasze serca. Pewien czarnooki drań również. Moje skradł…

ROZDZIAŁ I

EWA

Szła niespiesznie uliczkami warszawskiej Starówki, jak zwykle oczarowana klimatem tego miejsca. Miała swoją ulubioną trasę, która omijała przepełniony turystami Rynek. Tutaj było cicho i spokojnie, a widok na Wisłę i daleką Pragę zapierał dech w piersiach stęsknionej za nim Ewie Kotowskiej.

Och, uwielbiała Australię z jej słońcem i ciepłem! Z pogodnymi ludźmi, którzy uśmiechają się do ciebie, nieznajomej, bo po prostu lubią się uśmiechać. Tam, na dalekich antypodach Ewa, w pewnym sensie wygnana z ojczyzny, poczuła się w końcu bezpiecznie. Swój dom nad oceanem, który nie do końca był jej własny, uwielbiała również.

Szukała go długo, bo też trudno było znaleźć miejsce marzeń: z dużymi, jasnymi pokojami, których okna wychodzą na roziskrzony bezmiar wód, z pełnym kwiatów ogrodem, wreszcie z pawilonem, w którym Ewa będzie marzyła i pisała, pisała i marzyła. Gdy w końcu agent nieruchomości przywiózł ją tam, do VillaRosy, poczuła całym sercem, że znalazła swój azyl. Miejsce, które zastąpi jej dom, utracony po raz kolejny daleko stąd.

Podpisała umowę na wynajem, wpłaciła kaucję, czynsz za pół roku z góry i… odżyła. Nad oceanem, pod rozkosznym australijskim słońcem, z dala od tych, co krzywdzą, po prostu odżyła.

Jednak ojczyznę kochała sercem Polki-patriotki. I za nic tej miłości, a więc tęsknoty, nie mogła wykorzenić z duszy. Nieraz, siedząc na tarasie swego pięknego domu, otulona w ciepło, jasność i ciszę, zastanawiała się, czy nawet zżymała: „Co cię gna na drugi koniec świata? Do miejsc, które przywracają bolesne wspomnienia? Do ludzi, którzy nie lubią samych siebie, nie można więc wymagać, by lubili kogoś więcej?". I nie znajdowała odpowiedzi na te pytania. Gdy więc tęsknota stawała się nie do zniesienia, pakowała się w jedną niewielką walizkę, wsiadała do pierwszego z czterech samolotów i już trzydzieści parę godzin później lądowała w Warszawie, z uśmiechem słuchając swojskich przekleństw, których rodacy używają zamiast przecinków.

Za kilka tygodni Ewa zatęskni do ciszy i spokoju Australii, wsiądzie więc w samolot – pierwszy z czterech – by po niemal dwóch dobach z westchnieniem ulgi lądować w tropikach, ale teraz szła ulicami Starego Miasta i, po australijsku, bo to zdążyło wejść jej w krew, uśmiechała się do nielicznych przechodniów, a jeśli ich nie było, po prostu do świata. Marzec w Polsce, szczególnie tak ciepły i słoneczny jak w tym roku, potrafił zachwycić.

Zaś Australia... Zaśmiała się, ale tylko w duchu. W Polsce osoba, która śmieje się do siebie jest uważana za chorą i „Tworki czekają". Tam, na dalekich antypodach, możesz śmiać się i tańczyć na ulicy. Spojrzą na ciebie z sympatią i pobłażaniem. Kwiat plumerii we włosach? W Polsce nawet nie przyszłoby jej to do głowy, bo przecież „każda wariatka ma w głowie kwiatka", tam: uśmiecha się każdy, kto widzi cię z tym kwiatkiem na głowie. A jednak w tym raju na ziemi nie jest tak różowo, jak piszą. To inny świat. Świat kontrastów. „Australia nie wybacza błędów", takie hasło przyświeca dziś Ewie, która dwa lata temu była pewna, że trafiła do nieba. Po tym, jak umierała na dengę... Po tym, jak śmiertelnie wystraszył ją wąż w łazience, włochaty pająk w jej własnym bucie i rekin, może trzydzieści metrów od jej domu, w wodzie po kolana... Po tym wszystkim nienawidziła swojej nowej ojczyzny, ale i kochała. Bo mimo dengi, węży i rekinów dawała jej poczucie bezpieczeństwa. Coś absolutnie niezbędnego do życia. Czy można być szczęśliwym, żyjąc w stałym zagrożeniu?

Ewa nie mogła. Dlatego od ładnych paru lat, tutaj, do ojczyzny, przylatywała na wakacje, tam, na antypodach, odnalazła swoją przystań.

Tak rozmyślając szła Krakowskim Przedmieściem.

Minęła jakąś demonstrację pod Pałacem Prezydenckim – nie wiedziała jaką, po co i o co, i niewiele ją to obeszło. Jednym zawsze będzie źle, innym zawsze lepiej, bez względu na ustrój polityczny.

Kilka kroków dalej zastanawiała się, czy nie wstąpić do Wedla na filiżankę obłędnej czekolady z płatkami róż. Zerknęła na wyświetlacz telefonu. Do spotkania z Konradem miała jeszcze godzinę. Zdąży i wypić czekoladę, i spacerem dotrzeć do pierogarni, ale... coś gnało ją naprzód. Jakiś głos z głębi duszy kazał jej iść dalej.

I nagle zrozumiała dlaczego. Stanęła, zadarła głowę i z niedowierzaniem wbiła wzrok w baner na drugim piętrze ślicznej kamieniczki, której okna wychodziły na zalaną słońcem ulicę.

„NA SPRZEDAŻ" głosiły czarne litery na żółtym tle. Nie byłoby w owym ogłoszeniu nic dziwnego – takich banerów wiszą setki, jak kraj długi i szeroki – gdyby nie fakt, że to umieszczono w oknie mieszkania, w którym przez kilkoma dziesięcioleciami mieszkała babcia Stefania!

Ewa zamrugała, jakby to, co widzi, mogło być snem. Ale nie! Baner jak wisiał, tak wisi! Mieszkanie, które Stefania opisała w pamiętniku, było na sprzedaż! Ręka sama wydobyła z torebki telefon. Palce same wystukały numer.

– Dzień dobry, ja w sprawie mieszkania – głos sam, bez udziału Ewy, serio!, wydobył się z jej krtani. Dlaczego sam? Bo umysł i rozsądek na wszelki wypadek wyłączyły się. Ewy nie było stać nawet na gzyms kamieniczki, co dopiero mówić o mieszkaniu w owej...

– Właśnie stoję pod domem i patrzę w okna – odpowiedziała. – Jeśli jest taka możliwość, mogę obejrzeć je w tej chwili.

Była.

Ciężkie, oszklone drzwi ustąpiły, gdy tylko rozległ się brzęczyk domofonu. Ewa wbiegła na drugie piętro. Tam, w drzwiach, już czekała na nią właścicielka. Zaskoczona, ale przyjaźnie uśmiechnięta. Zaprosiła do środka i... Ewa nagle poczuła, całą sobą poczuła, że jest u siebie. Że chce tutaj zostać.

Mieszkanie, dwupokojowe, wysokie, o wielkich oknach, przez które wpadały potoki słońca, było nieco zaniedbane, prawdę mówiąc błagało o remont, ale Ewa nie zważała ani na poczerniały miejscami parkiet, ani na przybrudzone ściany. Wodziła po nich ręką i miała pewność, że pół wieku wcześniej to samo czyniła jej ukochana Bunia. Przechodziła z pokoju do pokoju, z korytarza do kuchni i czuła, niemal namacalnie, serdeczną obecność babci Steni.

– Jest cudne. Już je kocham – wyszeptała, patrząc roziskrzonymi oczami na właścicielkę.

– To dobre miejsce. Byliśmy tu z mężem szczęśliwi – odparła starsza kobieta.

Jej mąż nie żył. Zmarł niedawno, pozostawiając ją w żałobie. Z mieszkaniem, szczególnie tym, trudno się jej będzie rozstać, bo przeżyli tu parędziesiąt pięknych lat, ale po prostu nie było jej stać na jego utrzymanie. Nie odda jednak swego domu w pierwsze lepsze ręce, co to, to nie! Szuka godnego nabywcy.

– Pani nadawałaby się w sam raz – dodała, obdarzając Ewę ciepłym uśmiechem.

Ona próbowała odpowiedzieć tym samym, ale cena za pięćdziesięciometrowy apartament, nawet zaniedbany, przy najpiękniejszej ulicy w Polsce, musiała być kolosalna!

– Przepraszam, że zawracam głowę – odezwała się. – Moja babcia właśnie tutaj mieszkała podczas wojny i parę lat po wojnie. Musiałam, po prostu musiałam wstąpić i... spróbować.

Zaczęła cofać się do drzwi.

– Nawet nie zapytała pani o cenę, pani Ewo – zauważyła właścicielka. – Ewa Kotowska, moja ukochana pisarka, prawda?

Uśmiechnęła się i lekko zmieszała, jak zawsze, gdy ktoś na ulicy – czy w mieszkaniu na sprzedaż – ją rozpoznawał. Padła kwota. Niezbyt wygórowana. Czy to możliwe, że byłoby ją stać...?

Ewa zarabiała na swoim pisarstwie naprawdę przyzwoicie, ale gros z tych pieniędzy szło na utrzymanie domu w Australii. Nie było to najtańsze miejsce na świecie. Małe niedomówienie: Australia i jej piękny dom były horrendalnie drogie!

Tutaj, w Polsce, dorobiła się jedynie „budki na narzędzia". Tak mówiła o swoim domku, wielkości chusteczki do nosa, który miała na własność. Stał sobie nad Liwcem i był... cóż, po prostu był. Ani duży, ani piękny, ale jej własny. Gdy podczas wywiadu dziennikarka z jakiegoś czasopisma zapytała Ewę, jak mieszka polska Nora Roberts, czy również ma pałac nad oceanem w pięknym ogrodzie, Ewa parsknęła śmiechem – wtedy nie było jeszcze mowy o australijskim raju – i odrzekła, że mieszka w domku, który mógłby być co najwyżej budką na narzędzia przy pałacu Nory Roberts. Czytelniczkom bardzo się to określenie spodobało.

Sama Ewa nie miała specjalnych kompleksów na tym punkcie, była szczęśliwa, że po tylu latach bezdomności w ogóle ma coś na własność. Nie przywiązywała się do miejsc, z własnego doświadczenia wiedząc, że mogą cię wyrzucić z domu ot tak, na pstryknięcie. I cztery ściany, które były całym twoim światem, które z miłością urządzałaś, w których wiłaś gniazdko, nagle, z dnia na dzień, musisz opuścić. Była więc wdzięczna domkowi w Urlach-City, tej swojej „budce na narzędzia", że w ogóle go ma. Czyżby mogła zamienić go na mieszkanie Stefanii? Właśnie to, którego ścianę głaszcze w tej chwili drżącą z podekscytowania dłonią?

Jeśli sprzeda domek, będzie miała na pierwszą wpłatę. Bank bez problemu powinien udzielić jej kredytu. Więc…

– Bardzo chciałabym kupić to mieszkanie – rzekła z głębi duszy.

– Widzę, pani Ewo. – Właścicielka uśmiechnęła się ponownie. – Ja z kolei bardzo chciałabym oddać je w pani ręce.

– Ale…

Jeszcze się wahała, jeszcze rozum uciszał serce, pełne nadziei. Wreszcie powiedziała słowa, które już raz padły, wiele lat temu w chwili, gdy ujrzała swoją ukochaną Poziomkę, domek na leśnej polanie:

– Dobrze. Jeśli poczeka pani, aż ogarnę sprawę sprzedaży domu, kupię to mieszkanko i będę tu szczęśliwa.

Nagle poczuła ogromną radość. Aż ją zatkało z niedowierzania, że oto z miejsca zdecydowała się na takie mieszkanie – ludzie, przecież tego nie planowała!, chciała się jedynie przespacerować Krakowskim! – i ze szczęścia. Właścicielka również nie wahała się ani chwili:

– To mieszkanie czekało na panią. Ja więc poczekam, aż będzie pani gotowa je kupić.

– Nie mam teraz pieniędzy nawet na zaliczkę.

– Poczekam.

Parę chwil później Ewa stała z powrotem na Krakowskim Przedmieściu i patrzyła w okna na drugim piętrze. Pani Hania właśnie zdejmowała baner. Pomachała jej ręką. Ewa uniosła dłoń, uśmiechnęła się i wyszeptała:

– Babciu, ty też byś tego chciała, prawda? Czuję się, jakbym po długiej tułaczce wracała do rodzinnego gniazda…

– Należy ci się, jak psu buda. – Konrad Dorada, wydawca, z którym spotkała się pół godziny później, uciął wszelkie wątpliwości, których Ewa znów nabrała. – Harujesz tak ciężko, że musisz pozwolić sobie na własne cztery kąty.

– Tyle razy wyrzucano mnie z domów, które ośmieliłam się nazwać „własnymi", że boję się znów obudzić za drzwiami – odparła, upijając łyk kompotu, który uwielbiała.

Spotkali się oczywiście w „Zapiecku", tym razem na Nowym Świecie. Tutaj do dań polskiej, tradycyjnej kuchni, której Ewie nigdy nie było dość, przez cały rok podawano obłędny kompot z suszonych owoców, rodzynek, miodu i cytryny. W Australii śnił się jej potem po nocach...

– Ale przecież marzysz o własnym miejscu na ziemi – zauważył. – W każdej z twoich powieści tęsknota do domku pod lasem jest tematem numer jeden. I do rodziny. Szczęśliwej kochającej się rodziny. Miłości nie kupisz, ale dom czy w tym przypadku mieszkanie...

– Nie spłacę go do końca życia – odrzekła cicho. – I tak nie będzie moje, tylko banku.

– Ewka, zapomniałaś, że ekranizujemy twoją powieść. Może się okazać, że spłacisz je szybciej, niż mogłaś się spodziewać. Kupuj. Ja ci to mówię.

Uśmiechnęła się tylko.

Gdy spieszyła na spotkanie z Konradem, decyzja o kupnie mieszkania osłabła. Pojawiły się wątpliwości. Zadecydowała, że przedzwoni do właścicielki, przeprosi i wycofa się z transakcji, ale gdy sięgała po telefon, ktoś chwycił ją za ramię i rzucił wesoło:

– Cześć, moja ulubiona pisareczko!

Konrad chyba po raz pierwszy od początku dziesięcioletniej znajomości się nie spóźnił. Ewa odłożyła więc telefonowanie na później, a gdy wymknęło się jej, że myśli o kupnie mieszkanka na Krakowskim, on natychmiast ją poparł, zamiast odwodzić od tego szaleństwa.

– „Liczą się tylko marzenia. Bez nich jesteśmy niczym więcej, niż pyłem na wietrze", to twoje słowa, Ewka.

Zgadza się. Owe dwa zdania były mottem nie tylko jednej z powieści, ale i całej twórczości Ewy Kotowskiej.

– Kupię je! – Usłyszała swoje własne słowa. Pewne, tym razem bez cienia wątpliwości.

– Tak trzymaj. Wypijmy za twój nowy dom.

Konrad uniósł kubek z kompotem, Ewa swój. Ze śmiechem stuknęli się nimi i wypili do dna. Dobrze było siedzieć z przyjacielem w ten piękny słoneczny dzień w miłej knajpce i po prostu cieszyć się życiem.

Nagle jednak mężczyzna spoważniał. Z jego sympatycznej, okrągłej twarzy, znikł uśmiech.

– Przechodzimy do biznesów? – domyśliła się Ewa.

Konrad zamiast odpowiedzieć, milczał długą chwilę. Ona przyglądała się wydawcy spokojnie.

Wiedziała, dlaczego prosił o to spotkanie i nie zamierzała mu niczego ułatwiać. Sobie również nie. Czeka ją jeszcze trochę bólu i będzie mogła na miesiąc zapomnieć…

– On nie istnieje – odezwał się w końcu.

Uniosła brwi.

– Serio? – rzuciła z kpiącym uśmiechem.

– Nie rób ze mnie wariata, Ewka. Wiktor Helert, ten szczeniak z poprawczaka, nie istnieje. Wszystko zmyśliłaś!

Uśmiech znikł.

– Po czym to wywnioskowałeś? – zapytała bez ciekawości.

Konrad, widząc jej obojętną twarz, nie pierwszy raz pomyślał, że tak zimnej, cynicznej, a zarazem wrażliwej kobiety, nie spotkał w całym swoim życiu. Kiedyś, gdy po przyjacielsku ale jednak jej to zarzucił, poprosiła tym swoim uprzejmym, a zarazem cholernie wkurzającym, protekcjonalnym tonem, by nie mylił cynizmu z brakiem złudzeń i wtedy ją przeprosił, ale dziś – widząc jej obojętność, gdy wspomniał o Wiktorze – po prostu zwątpił.

– Współczułem ci, właściwie wam, całym sercem, czytając tę powieść – zaczął chłodnym tonem, czując rosnący gniew. – Myślałem: „Biedna Ewka, że też nie mogła trafić na lepszego drania. Żyliby sobie dziś w pięknym domu w Australii, zakochani jak kiedyś, jak przed laty" i wtedy przyszło mi do głowy, by zapytać wujka Google, co właściwie stało się tym twoim ukochanym. Największą miłością twego życia. Zginął? Został zamordowany? Miał wypadek? I... wiesz, co znalazłem? – Pytanie zawisło między nimi.

Wzruszyła ramionami.

– Oczywiście, że wiem.

– Nic! Kompletnie nic! Wiktor Helert nie istnieje! Nie istnieje i nie istniał żaden cholerny Helert!

– Mylisz się – odparła, odwracając wzrok z taką samą obojętnością, jak przed chwilą. – I to podwójnie. Nazwisko wzięłam z herbarza polskiego. Tak właśnie wymyślam tożsamości dla bohaterów moich powieści. Otwieram stronę z przydomkami szlacheckimi od A do Z i przeglądam je, czekając, aż któreś do mnie przemówi. Przemówił właśnie Wiktor Helert.

Umilkła. Czekał na ciąg dalszy, ale się nie doczekał.

– No i? To wszystko? Wstrzeliłaś się w nazwisko? To koniec historii Wiktora?

Powróciła do niego spojrzeniem.

– Wiesz, czasem się zastanawiam, czy ty mnie uważasz za idiotkę, czy sam jesteś kretynem... Naprawdę myślałeś, że mój Wiktor nosił takie samo nazwisko, jak w książce? Która, przypominam uprzejmie, nie jest autobiografią?

Żachnął się, ugodzony podwójnie: tym, że oczywiście nie mogła tego uczynić i tym, że wyszedł na kretyna, co Ewka, również oczywiście, musiała wyartykułować na głos. Doprawdy, mogła sobie darować ten epitet. Owszem, zasłużył na niego, co nie zmienia faktu, że mogła zachować to dla siebie...

– Ciebie, Ewka, też prześwietliłem – zaczął powoli, patrząc kobiecie prosto w twarz. – Byłem ciekaw, co znajdę na temat twojej bohaterki. Weroniczki.

Kobieta parsknęła śmiechem, bo spodziewała się, co znalazł. Równie wielkie NIC jak na temat Wiktora. A przecież Weronika istniała naprawdę. Kiedyś, dawno temu, w odległej galaktyce sprzed czasów wszystkowiedzącego wujka Google.

Dorada poczerwieniał z gniewu.

– Ciebie to śmieszy? Robienie kretyna ze mnie, swojego przyjaciela, cię śmieszy?

– Nie, Konrad. Śmieszne jest to, że próbujesz mnie inwigilować, zamiast po prostu zapytać. Albo poczekać na ciąg dalszy „Pisarki".

Urwała, by poprosić kelnerkę raz jeszcze o kartę dań, ale on wiedział, że Ewka gra na czas. Chce uciąć temat Helerta. Konrad nie pozwoli się jednak spławić!

Przez następne parę minut zgłębiała menu. On rzucił tylko okiem, zamówił deser i mierzył swoją towarzyszkę posępnym, nieprzyjaznym spojrzeniem. Czasem naprawdę go wkurzała. Może nie tyle Ewka jako taka, co kompletny brak wiedzy na jej temat. Pojawiła się w jego wydawnictwie i życiu znikąd i… została.

– Naprawdę kochałaś się w chłopaku z taką przeszłością? Gnojku z poprawczaka?

– Tak – ucięła, ale nie dał się zbyć tym krótkim, odpychającym „tak".

– I nie tylko z poprawczaka, no nie? On siedział? Przymknęli go za kradzież tamtego mustanga?

Gdyby wzrok mógł zabijać, Konrad właśnie padałby twarzą w talerz pełen pierogów. Zamiast tego bez mrugnięcia okiem zniósł lodowate spojrzenie kobiety.

– On nie ukradł tamtego samochodu – wycedziła. – Myślałam, że to jasne.

– W książce, owszem, ale… wiesz… człowieka nie wsadza się do więzienia za niewinność.

Prychnęła na wpół ze złością, na wpół z rozbawieniem. Pokręciła głową.

– Nie wiesz nic o polskim wymiarze niesprawiedliwości. Gdybym… – zaczęła, ale po tych kilku słowach przerwała. Machnęła ręką i jak gdyby nigdy nic, zajęła się jedzeniem.

– No dobrze. Niech ci będzie. Wrobili chłopaka w kradzież, poszedł siedzieć. Wyszedł i…? Spotkaliście się? Był z tobą? W końcu masz…

– Konrad, może zamiast drugiego tomu napiszę ci po prostu streszczenie? – przerwała mu zimnym, obcym tonem. – Chcesz? Krótki, acz szczegółowy biogram na jedną czy dwie strony. Dostaniesz go i spieprzaj ze swoją, to jest moją nie-autobiografią. Naprawdę jestem cała za tym, by zakończyć ją już teraz.

Och, nie miał co do tego wątpliwości. Napisała to jasno i wyraźnie na ostatniej stronie. Tuż przed słowami: „Koniec tomu pierwszego". Jeśli więc on, jej wydawca, chce zgarnąć zyski za tom drugi, a może i trzeci, musi teraz ugryźć się w język i darować sobie cisnące się na usta pytania, milion pytań, z których jedno było całkiem poważne: jak czytelniczki przyjmą fakt, że ich ukochana pisarka, ta słodka, do rany przyłóż Ewa Koti, była dziewczyną, a może nawet żoną recydywisty?!

Zmusił się do przymilnego uśmiechu. Zrobił gest, jakby zamykał usta na kluczyk.

– Żadnych pytań – obiecał, ale Ewa wiedziała, że one znów się pojawią.

Im głębiej zabrnie w tę opowieść, tym więcej będzie pytań, a mniej odpowiedzi.

– Tej historii nie można opowiadać od końca, Konrad – dodała, widząc, że pod przykrywką uśmiechu jej wieloletni przyjaciel i wydawca ukrywa złość.

Uraziła go słowami i brakiem zaufania, ale cóż... Od jakiegoś czasu – kiedy indziej zastanowi się od kiedy – nie miała cierpliwości do świata i ludzi. Przestała ukrywać prawdziwe uczucia, owijać w milej brzmiące słówka prawdę, którą chciała powiedzieć. Mówiła to, co myśli, tak jak myśli. Ni mniej, ni więcej. Jeśli przez to straci przyjaźń Konrada, trudno.

Mężczyzna przyglądał się pisarce oczami zmrużonymi z ledwo hamowanej wściekłości. Rzeczywiście pozwoliła sobie na zbyt wiele, czy raczej on jej na to pozwolił. Żaden inny pisarz z jego „stajni" nie śmiałby rzucić mu w twarz słowa „kretyn". Ewka... tak, ona mogła i zrobiła to. Ale też z nikim innym nie był tak blisko, jak z nią. Nie raz i nie dwa razy tulił do piersi kobietę, gdy łkała rozpaczliwie i bezradnie. Zdarzyło się, że ona tuliła jego. Tak. On też miał kiedyś chwilę słabości i pozwolił sobie na łzy, a że Ewa przyjechała natychmiast, w środku nocy, gdy tylko zadzwonił... Nigdy nie wyszli poza przyjacielskie stosunki. On nie śmiałby zażądać czegoś więcej, ona nie pragnęła, ale roił sobie, że jest dla tej kobiety kimś więcej, niż wydawcą jej powieści i zasługuje na zaufanie, tymczasem ona nie ufała mu, jak się okazuje, za grosz.

Nie znał przeszłości Ewy Kotowskiej. Od dnia, gdy stanęła po raz pierwszy w drzwiach Wydawnictwa Kon-Dor, wiedział o niej tylko to, czym zechciała się z nim podzielić. Była rozwódką. Z ciężką depresją. O tym drugim nie musiała mówić, było to widać w czarnych dziurach zamiast oczu, wypełnionych beznadzieją. Teraz Konrad wiedział, dlaczego. Jej mąż, nazwany w książce Wiktorem Helertem, był bandziorem po poprawczaku i zakładzie karnym. Konrad nie chciał się nawet domyślać, jak tamten skrzywdził Ewę, że małżeństwo i rozwód przypłaciła nieomal życiem.

„Kobiety są jednak głupie", przemknęło Doradzie przez myśl. „Zakochują się w bandytach, a potem pozwalają się bandytom katować, zamiast dać kopa w dupę jednemu i drugiemu albo odejść za pierwszym razem, gdy skurwiel podniesie na nie rękę. I pomyśleć, że Ewa, ta silna, niezależna kobieta, była jedną z takich ofiar losu. I mężunia. Sprawiała zupełnie inne wrażenie...".

Kiedyś widział Ewkę w akcji, gdy jakiś palant kopnął na jej oczach psa, którego wyprowadzał na spacer. Zanim Konrad zdążył się oburzyć, Ewka już startowała z furią w oczach i zaciśniętymi pięściami do tamtego napakowanego bydlaka, którego powinni raczej ominąć szerokim łukiem, żeby nie dostać w ryj. Teraz patrzył jak drobna kobieta syczy, pobladła z wściekłości, żeby „sssynek", tak właśnie się do bydlaka zwracała: „sssynku", nigdy więcej nie kopał psa ani żadnej innej, bezbronnej istoty, bo mu – sssynkowi oczywiście – noga uschnie i odpadnie.

Bydlaka zatkało, Konrada, prawdę mówiąc, również, bo tak absurdalnej groźby żaden się nie spodziewał. Że Ewa wezwie policję, już prędzej, że da bydlakowi w pysk, owszem, ale... „noga uschnie i odpadnie"?! Konradowi przemknęło przez myśl, że wyrostek roześmieje się kobiecie w twarz, pokaże jej fakowca albo lutnie ją z pięści i cóż... skończy się na mordobiciu, ale tamten zmalał nagle, spokorniał, a potem odezwał się zmieszany:

– Moja świętej pamięci mama tak mówiła: „nie podnoś na matkę ręki, bo ci uschnie i odpadnie". I wie pani co? Nigdy matki nie uderzyłem. Nigdy! A tego psa... wkurzyłem się na sukinsyna, bo obsikał mi nowe spodnie, tak po złości, kundel dziadka... Więcej go nie kopnę, ale też więcej się bydlakiem nie zajmę. Niech się stary martwi, kto kundla na spacer wyprowadzi, gdy on będzie w szpitalu.

Ewka od razu pospieszyła z pomocą, jak to ona, podpowiedziała stronę, gdzie za grosze można wynająć kogoś do opieki nad zwierzęciem i rozstali się z napakowanym gnojkiem jak przyjaciele, ku olbrzymiej uldze Konrada. Naprawdę nie chciałby poczuć pięści tamtego na własnym nosie.

Ale dziś, przypominając sobie ową scenę, zastanawiał się, jak Ewa, wtedy tak niezłomna, nieustraszona, która bez wahania ruszyła na pomoc głupiemu psu, pozwalała innemu bydlakowi znęcać się nad samą sobą?! Nie wyglądała na potulną ofiarę przemocy domowej! Nie po tym, co przeczytał w pierwszym tomie „Pisarki"! Może wszyscy gotowi jesteśmy zgłupieć z miłości?

Nagle postanowił odnaleźć Helerta, czy jak mu tam było, o ile złamas oczywiście żyje. Tak! Wynajmie detektywa, przekaże mu wszystko, co wie o pisarce, jej dane, które ma w umowach, swoje domysły, wreszcie samą powieść i niech fachowiec poda mu Wiktora na tacy. On, Konrad Dorada, chce poznać wielką miłość – i przekleństwo – Ewy Kotowskiej, zanim ona łaskawie dokończy swoją nie-autobiografię, którą przecież mogła zmyślić od początku do końca. Istnienie Wiktora Helerta również. Konrad nie pozwoli powtórnie zrobić z siebie kretyna!

– Co ty kombinujesz…? – dobiegł go cichy głos kobiety, która od dłuższej chwili mierzyła go uważnym spojrzeniem.

– Kombinuję, jak przyspieszyć proces twórczy i wyczarować forsę na twój film – skłamał gładko, wiedząc, że na słowo „film" ona zareaguje nieprzytomną ciekawością i zapomni o innych tematach.

Dokładnie tak się stało. Przez następne parę minut dyskutowali o wyborze powieści, która ma zostać zekranizowana. Pisarka była rozdarta między dwoma wcześniejszymi tytułami, natomiast Konrad obstawał przy jej najmłodszym „dziecku".

– Mówię ci, Ewcia, to będzie hit! Nie wiem wprawdzie, jak się potoczą losy Weroniki i Wiktora, domyślam się, że dramatycznie, ale już to, co czytałem w pierwszym tomie, jest gotowym materiałem na kinowy bestseller. Przemoc domowa… nastolatka kontra rodzice… miłość ponad wszystko… ten film jest skazany na sukces!

Pokręciła głową, nieprzekonana.

– Kto chciałby oglądać psychopatycznych rodziców, znęcających się nad dziećmi? Daj spokój, Konrad. Ja bym nie chciała.

– Ludzie lubią się powzruszać. I pocieszać, że oni nie mają jeszcze tak źle. Przecież po to piszesz: żeby unaocznić czytelnikom, że inni naprawdę mają przechlapane.

– Nie po to! – rozeźliła się. – Moje powieści mają dawać nadzieję, że po każdej nocy wstaje dzień. Że mamy wybór, od nas zależy to, jak nasza bajka się skończy...

– Taaa? – Uniósł brwi i uśmiechnął się krzywo. – A twoja jak się skończyła? Happy endem? Coś przeoczyłem?

– Moja nadal trwa – wycedziła w odpowiedzi. – Jeszcze żyję, jakbyś nie zauważył.

– A on? – palnął, zamiast ugryźć się w język.

Ewa wstała, zarzuciła na ramiona płaszcz w gołębim kolorze, po raz ostatni spojrzała na Konrada, zimno, jak na wroga, a nie przyjaciela i rzekła:

– Doczekaj do ostatniego tomu, a dowiesz się, jak skończył Wiktor Helert. Myślę, że komu jak komu, ale tobie ta bajka się spodoba.

Ruszyła do wyjścia niemal biegiem. Słowa Konrada obudziły dawno uśpione demony. Przeszłość nagle powróciła. Wspomnienie tamtej nocy również. Musiała natychmiast wyjść z ciemnego pomieszczenia na słońce...

„Nie wiem, jak dotrwam do końca tej historii", pomyślała, walcząc ze łzami. „Boli. To po prostu boli! A będzie przecież jeszcze gorzej!".

Mimo fizycznego niemal cierpienia, z jakim stawiała każdą literę „Pisarki", opowieść domagała się spisania. Ewa czuła się niczym napięta do granic wytrzymałości struna, którą w końcu trzeba puścić. Gdzieś w głębi duszy miała pewność, że postawienie słowa KONIEC, opowiedzenie historii do końca, przyniesie ukojenie. Nie wymaże z pamięci wszystkich czarnych stron, którymi zapisane było jej życie, ale będzie mogła zamknąć tę historię raz na zawsze. Jej nie-autobiografia stanie się kolejną książką na półce. Opowieścią o kimś, kto żył naprawdę, a może został wymyślony?, nieważne. Dla Ewy będzie zamkniętym rozdziałem.

– Tak, muszę wrócić do tamtej nocy – szepnęła.

Od tygodni się przed tym broniła, lecz wreszcie nadszedł ten czas. Nowy Świat zaczął niknąć, słońce zgasło, Ewa znalazła się nagle w starej chacie na Czeremchowej, gdzie nie było już Wiktora. Tylko rozpacz i ból.

ROZDZIAŁ II

WERONIKA

Klęczała pośrodku niewielkiego pokoju, mając na palcach krople krwi Wiktora. W pierwszym odruchu, gdy przebrzmiały słowa policjanta: „Zapomnij o nim, dziewczyno, albo następnym razem będziemy skuwali ciebie", rzuciła się ku drzwiom, ale syreny radiowozu właśnie milkły. Zabrali Wiktora. Odebrali Weronice miłość jej krótkiego, siedemnastoletniego życia…

W tym właśnie momencie, gdy zrozumiała, że już za późno, na wszystko za późno, upadła na kolana i z jakimś nieludzkim skowytem, wydostającym się z gardła, zaczęła się chwiać w przód i w tył. Całe ciało krzyczało z bólu. Była jednym wielkim skowytem. Krew na palcach parzyła skórę. Świadomość, że straciła Wiktora, znów, kolejny raz, zabijała. Po prostu zabijała. A to, że ona, Weronika, przyłożyła do tego rękę… było nie do zniesienia. To wstrętne zdjęcie, na którym całuje – niewinnie przecież! – innego…

– Dziewczyno, co ci jest?! – Właśnie on, znienawidzony przez oboje Jan Zadra, wpadł do pokoju i pochylił się nad Weroniką.

Nie zareagowała. Pogrążona w strasznym bólu, nie zauważyła jego obecności.

– To twoja krew?! Co te skurwysyny ci zrobiły?!

Wreszcie. Uniosła na mężczyznę szkliste spojrzenie.

Podniósł ją do pionu, zamknął w ramionach, bezwolną, ledwo trzymającą się na nogach. Zaczął głaskać po włosach, po plecach.

– Już dobrze, jesteś bezpieczna. Przy mnie nikt ci nie zagrozi. Ani policja, ani Wiktor. Już dobrze...

Na dźwięk tego imienia nagle wróciła jej przytomność umysłu.

– Dlaczego? – wyszeptała łamiącym się z bólu głosem. – Skąd on miał to zdjęcie? Dlaczego Magda mi to zrobiła? Była moją przyjaciółką... Tak myślałam...

Rozpłakała się. To już nie był ten straszny szloch, który rozrywa ciało i duszę na strzępy, a żałosny płacz skrzywdzonego dziecka.

– Nie wiem, skarbie. Może była zazdrosna? – dobiegł ją szept mężczyzny i...

W następnej chwili szarpnęła się w jego uścisku. Oparła obie dłonie na jego piersiach i próbowała go odepchnąć, ale trzymał mocno.

– Puść mnie! – wydusiła. – To wszystko twoja wina! Wszystko przez ciebie! Od początku próbowałeś nas rozdzielić, Wiktora i mnie! „Jestem po tej samej stronie barykady". Akurat! Jątrzyłeś dotąd, aż osiągnąłeś cel! Bo to właśnie zamierzałeś, no nie? Wpakować Wiktora za kratki, a mnie... Co sobie umyśliłeś à propos mnie?!

– Bredzisz, dziewczyno – wycedził Zadra, nie wypuszczając jej z objęć. – Byłem całym sercem za wami. Wyczarowałem laurkę, dzięki której ten niewdzięczny szczeniak wyszedł z poprawczaka...

– Dyrektor wyczarował, nie ty! – krzyknęła, raz jeszcze próbując się wyrwać. – Puść mnie! Daj mi spokój!

– Dyrektor palcem by nie kiwnął w sprawie Helerta, gdyby nie ja. Jeszcze dużo mogę... – zaczął kuszącym tonem, ale Weronika nie wierzyła już ani jednemu słowu tego parszywca.

– Puść, bo zacznę krzyczeć! – zagroziła, jak kwadrans wcześniej Wiktorowi.

Odpowiedź była podobna:

– Krzycz. I tak nikt cię nie usłyszy. – Zaśmiał się. Wrednie. W tym śmiechu były złość i narastające z każdą sekundą pożądanie.

Weronika nie mogła znać skrzętnie ukrywanej przeszłości Jana Zadry. Nie mogła wiedzieć, że był podejrzany o gwałt na nieletniej. Tam, w dalekim Kosowie. Że sprawę zatuszowano, jak zawsze w takich przypadkach, delikwenta usunięto ze służby, ale zapewniono mu miękkie lądowanie na stanowisku „koordynatora" albo „konsultanta". Nie wiedziała, że od pierwszej chwili wpadła mu w oko, przez kilka miesięcy osaczał właśnie ją, Weronikę, i teraz zamierzał wreszcie dopiąć celu. Dorwać się do jej młodego, dziewiczego ciała, jak kiedyś dorwał się do dziecka niemal, małej, ślicznej Albanki... Weronika, ze swoją olśniewającą, płomienną urodą była przeciwieństwem tamtej czarnulki, a mimo to, a może właśnie dlatego, tak go wzięło...

– Posłuchaj... – Przybliżył twarz do jej twarzy. – Mogę wszystko. Jedno moje słowo i jeszcze dziś... no, może jutro, Wiktorek będzie z powrotem w domu. Chcesz tego? Czy może wolisz, by pozostał w pierdlu na wiele, wiele lat?

Weronika słuchała jego szatańskich podszeptów i bezwolnie im się poddawała. A jeśli to, co mówi ta kreatura, jest prawdą? Jeśli sprzeciwiając się Zadrze skazuje Wiktora na wieloletnie więzienie?

– Czego chcesz? – wyszeptała przez łzy. – Co mam zrobić?

Nie potrafił się dłużej powstrzymać. Wpił się wargami w usta dziewczyny. Zmiażdżył je nieomal. Dłońmi chwycił ją za pośladki i przyciągnął do swoich lędźwi. W pierwszej chwili zszokowana, pozwoliła na to. Nie protestowała. W następnej zaś całym ciałem próbowała się wyszarpnąć z jego oślizgłych objęć. Ale trzymał mocno...

Wpadła w panikę.

To nie był jej ojczym, którego mogła znokautować ciosem w oczy i między nogi. Była pewna – na sto procent pewna! – że z tym samcem nie wygra.

– Proszę... – wyjęczała, gdy dla nabrania oddechu cofnął wargi. – Ja nie chcę...

– Ale Wiktorka chcesz mieć z powrotem? – rzucił, nie oczekując odpowiedzi.

I mając ją głęboko w dupie. Tak jak Wiktorka, notabene. Dla niego ten szczeniak mógł być w tym momencie gwałcony przez „kumpli" z aresztanckiej celi. On chciał Weroniki. Teraz!

– Jeśli nie będziesz posłuszna... jeśli nie dasz mi tego, czego chcę... jeden telefon... jedno moje słowo... – Wydyszał jej do ucha, próbując uspokoić, ułagodzić wyrywającą się rozpaczliwie dziewczynę.

– Proszę, puść mnie! Ja... nie mogę, nie potrafię...

Rozpłakała się tak samo żałośnie, jak parę minut wcześniej. Oczami pełnymi łez błagała mężczyznę o litość, o zmiłowanie, o to, by wyszedł i zostawił ją w spokoju.

– Chcesz, żebym zadzwonił? – Nie zważając na jej błagania, sączył jad. – Zaczną od bicia. Skatują twojego ukochanego do nieprzytomności, a potem... Wiesz, do czego są zdolni ci degeneraci?

Nie wiedziała. Nie potrafiła sobie nawet wyobrazić. Pragnęła tylko zostać sama...

Raz jeszcze, z dzikim piskiem, próbowała się wyrwać. Chwycił ją za gardło. Profesjonalnie. Zdusił najmniejszy dźwięk. Odebrał oddech.

Ona nadal próbuje walczyć, choć wie, że nie ma najmniejszych szans. Nie chce się jednak bezwolnie poddać. Nie jemu. Nie znienawidzonemu wrogowi. Drapie paznokciami duszącą ją rękę. Chce krzyczeć, chociaż brak jej oddechu. I wtedy, gdy zaczyna osuwać się w ciemność, drzwi pokoju rąbią o framugę i z progu padają lodowate słowa:

– Widzę, koleś, że chcesz w mordę. Puść to dziecko. Pogadamy na migi.

Palce, jeszcze przed chwilą dławiące krtań, rozwierają się. Weronika łapie głęboki haust powietrza. Słyszy głos doktora Kochanowskiego i wie, że jest bezpieczna. Uratowana. Wyrywa się z podłych objęć Jana Zadry. Kochanowski chwyta ją za ramię i ciska za siebie.

– Wyjdź stąd – rzuca, nie patrząc na dziewczynę. – Uciekaj.

On sam staje przed napalonym, napakowanym bykiem, wściekłym, że ofiara mu umknęła, gotów na wszystko…

Doktor odjeżdżał spod domu Weroniki rozdarty wewnętrznie. Wiedział, że nie powinien zostawiać tego dziecka ze spojonym wódką gnojem, lecz jednocześnie czuł, że Wiktor nie jest w stanie jej skrzywdzić. Widział z jaką radością dziewczyna co wieczór wraca do domu, gdzie czeka na nią ukochany chłopak. Słyszał szczęście w jej głosie za każdym razem, gdy opowiadała mu o odnalezionej miłości. Miłości trudnej, wręcz niemożliwej, ale jednak…

Znał historię tych dwojga niemal od dzieciństwa i dziwnym trafem był pewien, że ten młody przestępca jest dla jego podopiecznej nieszkodliwy. Będzie ją wielbił, nosił na rękach i wszystko co chcecie, do końca swoich dni.

Jednak tej nocy, gdy wciągnął nieprzytomnego od wódki szczeniaka do środka i zostawił go sam na sam z siedemnastoletnią dziewczyną... No nie. Z początku ruszył swoją drogą – akurat był umówiony na upojną randkę – lecz zanim dojechał na miejsce, zawrócił i pognał z powrotem na Czeremchową. Po prostu nie mógłby spać grzecznie bez pewności, że Weronika jest bezpieczna, a Wiktor grzecznie odsypia zakrapianą imprezę.

Parę minut później zaparkował pod numerem 18, przemknął przez pogrążony w ciemnościach ogród i zaczaił się pod oknem. Czuł się jak chory zbok, zerkając do środka, w następnej jednak chwili ruszył biegiem. To nie spity wódką Wiktor zagrażał dziewczynie, a jakiś napakowany gość, któremu usiłowała się wyrwać!

Wpadł do pokoju. Wyszarpnął Weronikę z uścisku nieznajomego skurwiela – nie potrafił inaczej nazwać kogoś, kto próbuje dusić niepełnoletnie dziecko – i nie myśląc o własnym bezpieczeństwie, gotował się do mordobicia.

Tamten, umięśniony jak byk, wściekły, że ktoś wyrywa mu zdobycz z pazernych łap, syczy tylko:

– Spierdalaj!

Bierze szybki zamach, licząc, że jednym ciosem wyśle niespodziewaną przeszkodę w niebyt, ale doktor Kochanowski, wychowany na legendarnej Pradze, jest nie w ciemię bity. Uchyla się przed ciosem wielkiej pięści i – nie bawiąc się w towarzyski sparring – uderza z całej siły... Bynajmniej nie w jądra i nie w splot słoneczny. Dla pedofilów Kochanowski nie ma litości i wali z pięści prosto w krtań. Tamten zachłystuje się oddechem. Oczy wychodzą mu z orbit, gdy łapie się za gardło i próbuje zaczerpnąć powietrza.

Doktor odwraca się do dziewczyny. Chwyta ją za ramię i popycha ku drzwiom. Wie, że poszczęściło mu się dzięki zaskoczeniu. W następnej chwili mięśniak może rozsmarować go na ścianie.

Biegnie za Weroniką przez stajnię, potem przez ogród i na ulicę.

Wsiadają do samochodu.

Dopiero, gdy wysłużony peugeot rusza z wyciem silnika, Kochanowski oddycha z ulgą.

„Co to było?", pytają w mroku jego lekko zszokowane oczy, ale dziewczyna, drżąc na całym ciele, nie odpowiada. Patrzy szklistym wzrokiem w ciemność nocy za oknem samochodu.

– Jedziemy na policję? – rzuca doktor w następnej chwili. – Trzeba zgłosić tę... to... – „Próba gwałtu na nieletniej" nie chce przejść mu przez gardło, ale Weronika kręci głową. Kochanowski rozumie dlaczego. Policja w pierwszej chwili zainteresuje się, co nieletnia robiła sama w starej chacie pod lasem. W nocy. Z chłopakiem po poprawczaku. W następnym momencie gliny zaczną szukać jej rodziców.

– Znasz tego bandziora? To kumpel twojego...

– Nie! – Dziewczyna wpada mu w słowo. – Znam go, owszem, ale jest nie tyle kumplem Wiktora, co jego prześladowcą. I on właśnie jest z policji! A na pewno ze służby więziennej.

Kochanowski kręci głową. Nic już z tego nie rozumie! Musi jednak odezwać się raz jeszcze:

– A... Wiktor? Co z nim?

– Aresztowali go.

Chwilę później zatrzymują się pod lecznicą. Wprawdzie doktor zastanawiał się, czy nie zabrać Weroniki do siebie, do swojego mieszkania, ale uznał, że ona nigdzie nie poczuje się w tej chwili bezpieczniej, niż w miejscu, które pokochała.

Otwiera drzwi i pomaga jej wysiąść. Pomaga, właśnie tak, bo dziewczyna ledwo trzyma się na nogach. Prowadzi ją do cichego wnętrza, zapalając po drodze wszystkie światła.

– Tu jesteś bezpieczna – mówi cicho, gdy stają na progu kanciapki, którą nie dawniej jak wczoraj wypucowała do połysku. – Nikt ci nie zagrozi.

Dziewczyna podnosi na niego oczy pełne łez, a jemu dłonie same zaciskają się w pięści. Zabiłby skurwiela, który doprowadził do łez tę dobrą, kochaną, łagodną istotę. Obu by zabił...

– Posiedzieć z tobą? – musi zapytać, chociaż zna odpowiedź.

Gdy Weronika zaprzecza, unosi dłoń, chcąc pogładzić dziewczynę po policzku albo chociaż ramieniu, ale ona odsuwa się, nie patrząc mu w oczy.

– Dasz sobie radę? Na pewno?

Nie chce zostawiać jej samej, nie powinien, nie po tym, co przeżyła tej nocy!, ale ona najwidoczniej nie życzy sobie jego obecności i pocieszeń. Niczyich sobie nie życzy. Doktor musi to uszanować.

– Wyjdę, a ty zamkniesz za mną drzwi na zasuwę, dobrze? Nikt nie będzie mógł wejść, jeśli mu nie otworzysz – wypowiada te słowa łagodnie, mając nadzieję, że do szokowanego umysłu dziewczyny dociera chociaż co drugie. Mniejsza, że jutro on sam może nie dostać się do środka.

Weronika kiwa machinalnie głową. Pragnie tylko jednego: paść na wąską kozetkę, nakryć się kocem i... przestać istnieć. Tak po prostu.

Doktor Kochanowski, jeszcze nieprzekonany, że może ją zostawić samą, rusza do wyjścia. Zanim zniknie na schodach, odwraca się i po raz ostatni rzuca spojrzenie swojej podopiecznej. Ona patrzy na niego pustym, wypranym z wszelkich uczuć wzrokiem.

„Trzymaj się, dziecko", żegna Weronikę bez słów i z ciężkim sercem wychodzi. „Jest silna", myśli. „Przeżyła niejedno. Da sobie radę", zapewnia samego siebie, wychodząc w ciemną noc.

Jest tak cicho, że nagły krzyk nocnego ptaka wstrząsa doktorem do głębi, chociaż Kochanowski do strachliwych nie należy.

Nie wolno zostawić tego dzieciaka samego!

Zawraca biegiem, ale w chwili, gdy kładzie rękę na klamce, po drugiej stronie szczęka zasuwa.

– Nisia... – zaczyna łagodnym, miękkim głosem. – Jeśli boisz się zostać sama... Jeśli chcesz, żebym nad tobą czuwał...

Odpowiada mu cisza. I oddalające się w głąb lecznicy kroki.

Doktor, chcąc nie chcąc, rusza do samochodu. Drzwi są antywłamaniowe, okna okratowane. Nikt nie dostanie się do środka, jeśli Weronika tak postanowi. On sam również nie. To jednak – czy jutro będzie miał gdzie pracować – jest w tej chwili jego najmniejszym zmartwieniem. Bardziej boi się o dziewczynę, czy ona sobie czegoś nie zrobi, mając pod ręką zestaw chirurgiczny, a w nim skalpeli do wyboru, do koloru...

Nie. Jednak nie może jej tak zostawić. Okrąża lecznicę i staje pod oknem kanciapki. Żaluzje są opuszczone, w środku panuje ciemność, dobiega go tylko stłumione łkanie. To dobrze. Dopóki dziewczyna płacze, znaczy, że żyje. Doktor siada na ławce, stojącej pod oknem, odchyla głowę do tyłu i patrzy na nieczułe, lśniące chłodem gwiazdy.

Płacz nie cichnie do świtu...

ROZDZIAŁ III

WIKTOR

Nie potrafię sobie wyobrazić, co czuje człowiek, zamykany w aresztanckiej celi. Co myśli, gdy zatrzaskują się za nim ciężkie, stalowe drzwi i słyszy szczęk zasuwy po drugiej stronie.

Parę lat temu, gdy bohaterka jednej z moich powieści miała być aresztowana, podjechałam na zaprzyjaźniony komisariat i poprosiłam policjanta – który wiedział, że jestem pisarką, więc szczególnie go ta prośba nie zaskoczyła – by mnie skuł. No dobra, jednak go zaskoczyłam. Podał mi kajdanki z bardzo niepewną miną. Chyba pierwszy raz w całej jego karierze ktoś sobie ich życzył z własnej, nieprzymuszonej woli, ale ja chciałam p o c z u ć. Nie tylko chłód żelaza na nadgarstkach, ale i wszystkie towarzyszące ograniczaniu wolności emocje.

Wyciągnęłam złączone ręce.

– Na pewno pani tego chce? – musiał zapytać.

– Poproszę – odrzekłam, zupełnie jakby miał poczęstować mnie kawą, a nie kajdankami.

Szczęknęły po chwili, a ja... nie poczułam. Rozkuł mnie, odwróciłam się tyłem i wyciągnęłam naglącym gestem skrzyżowane za plecami ręce. Policjant najchętniej popukałby się w głowę i mnie wyprosił, ale skoro sama chciałam... Żelazne pęta powtórnie zacisnęły się na moich nadgarstkach. Stałam przez chwilę nieruchomo, wczuwając się w rolę aresztantki. Samo wrażenie zupełnego ubezwłasnowolnienia, zdania na czyjąś łaskę i niełaskę, było porażające, mimo że w każdej chwili mogłam poprosić, by mnie uwolniono.

– A może by tak bardziej brutalnie? – zwróciłam się do policjanta. – Jakby moja bohaterka stawiała opór, próbowała się wyrwać, uciekać...

Nie dokończyłam. Facet chwycił mnie ochoczo za bark, drugą ręką za skute ręce, szarpnął niezbyt mocno, ale jednak, w górę, a mnie od razu przygięło do ziemi. Padłam na kolana, niemal twarzą w posadzkę. Blok na staw barkowy nie był bolesny, bo policjant nie chciał zrobić mi krzywdy, ale był skuteczny. Gdyby pociągnął jeszcze bardziej w górę, a tak się przecież dzieje podczas prawdziwej akcji, skręciłoby mnie z bólu i mogłabym jedynie pomarzyć o wyrywaniu się i ucieczce.

– Dziękuję – wydusiłam.

Ucisk zelżał. Policjant rozkuł mi ręce i pomógł wstać.

– Poczuła pani? – zapytał ciekawie.

Zaśmiałam się, chociaż nie było mi do śmiechu.

– Jeszcze nie do końca. Zamknie mnie pan w areszcie?

W pierwszym momencie go zamurowało, ale przypomniał sobie, że ma do czynienia z pisarką, a więc osobą żyjącą w nieco innym świecie, niż zwykły śmiertelnik. Skoro owa osoba chce zostać przymknięta za niewinność w śmierdzącej celi, nie ma sprawy!

– Jest pani pewna? – zapytał pro forma, a gdy przytaknęłam, wpuścił mnie za kraty, oddzielające hall od reszty komisariatu i poprowadził za sobą.

Na końcu korytarza za potężnymi, stalowymi drzwiami rodem prosto z kronik kryminalnych, znajdowały się dwie cele.

– Tu mamy delikwenta, ta jest pusta. Którą pani wybiera?

Żeby poczuć dogłębnie powinnam wskazać tę z „delikwentem", ale aż tak odważna nie byłam.

Policjant odemknął zasuwy, przekręcił klucz w zamku i oto niewielka cela z dwoma piętrowymi łóżkami stała przede mną otworem. Obejrzałam się na mężczyznę z lekką paniką. Nie chciałam wchodzić do środka! A jeszcze bardziej nie chciałam zostawać w środku! Mimo to zrobiłam dwa kroki naprzód.

– Proszę zawołać, gdy poczuje pani wystarczająco – w głosie policjanta brzmiało rozbawienie. – Będę w dyżurce, no chyba, że wyskoczę na obiad.

– Nie!!! To znaczy... nie. Aż tak długo wczuwać się nie będę.

– No myślę, że raczej krócej niż dłużej – zaśmiał się rubasznie.

Drzwi zamknęły się z głuchym szczękiem, a ja wstrząsnęłam się od stóp do głów. Trzasnęły zasuwy po drugiej stronie.

Zazgrzytał w zamku klucz. Każdy dźwięk w tym małym pomieszczeniu brzmiał jak wystrzał z pistoletu. Przeszywał na wylot.

Po kręgosłupie spłynął zimny dreszcz. Zaczęłam mimowolnie drżeć. Umysł wiedział, że za chwilę będę wolna, wystarczy krzyknąć, mimo to byłam bliska paniki. Zamknięto mnie w aresztanckiej celi. Od wolności dzieliły mnie grube mury, kraty w małym okienku pod sufitem albo stalowe drzwi, zamknięte na dwie zasuwy i klucz.

Strach podszedł mi do gardła. Do oczu nabiegły łzy. Zatkałam usta dłonią, żeby przypadkiem się nie rozpłakać, bo przez cały ten czas od kiedy weszłam do środka myślałam o tobie, Wiktor. O tym, jak ty musiałeś się czuć, gdy tamtej nocy wpychali cię do podobnej celi i zamykali za tobą równie ciężkie drzwi.

Z tym, że ty nie mogłeś wyjść, gdy tylko wystarczająco „poczujesz". Ciebie za chwilę policjant nie wypuści. Stałeś pośrodku dusznego pomieszczenia, czułeś wściekły łomot serca, ból rozbitej kolbą karabinu głowy, ucisk w gardle tak silny, że z trudem łapałeś oddech i… strach? Byłeś odważny, wiedziałam przecież o tym, ale…

Gdyby nie fakt, że przyglądało mu się trzech zarośniętych, cuchnących potem i wódką meneli, chyba upadłby na kolana. Ale musiał wytrwać w pionie aż do chwili, gdy któryś z nich spróbuje zaatakować, a on będzie mógł odpowiedzieć tym samym.

– Kładź się, młody, bo zaraz gaszą światło – mruknął ten z górnej pryczy.

Wiktor posłał mu lodowate spojrzenie, co na menelu nie zrobiło specjalnego wrażenia. Odwrócił się plecami do chłopaka i naciągnął na głowę lichy koc.

– Jeśli któryś z was spróbuje... tylko spróbuje mnie tknąć... połamię łapy... – wydusił Wiktor.

– Przestań pierdolić – odezwał się facet z dolnej pryczy. – Żaden z nas nie gustuje w chłopaczkach. Kładź się, jak radził Romek, i daj ludziom pospać.

On też nakrył się kocem. Trzeci poszedł w ślady kompanów. W celi zapadła cisza. Światło nagle zgasło. Do ciszy dołączyła ciemność.

Wiktor usiadł ciężko na jedynym wolnym łóżku. Gardło nadal ściskał mu strach. Serce łomotało, jakby chciało wydostać się z piersi. Był odważny, przynajmniej do dziś tak mu się wydawało, jednak brutalne aresztowanie, to jak go skuli, wepchnęli do suki, potem z niej wyciągnęli i wlekli do aresztu... I łomot zamykanych za plecami stalowych drzwi, szczęk zasuw, zgrzyt klucza w zamku... Na zewnątrz opanowany, niemal butny, w środku rozsypywał się z przerażenia.

„Mam dopiero osiemnaście lat", przemknęło mu przez pusty do tej pory umysł. Dotknął miejsca, które rozbiła kolba karabinu. Było lepkie od krwi. Żaden z gliniarzy nie zainteresował się, czy czasem nie powinno się zszyć rany. Żaden nie podał choćby kompresu, mimo że widzieli mokry od krwi kołnierz koszuli.

„Skurwysyny, potraktowali mnie jak byle bandziora, a ja nic, na miłość boską, nie zrobiłem! Nie ukradłem tego samochodu!!!".

Poczuł pod powiekami palące łzy. Odwrócił się do ściany i wbił zęby we własną dłoń, żeby stłumić rwący gardło szloch. W tej chwili był przerażonym dzieckiem, a nie twardzielem, który rozstawiał po kątach kumpli z poprawczaka.

„Muszą mi uwierzyć! Po prostu muszą! Nie złamałem warunku. Nie mogą wsadzić mnie do pierdla za coś, czego nie zrobiłem! Ty musisz mi uwierzyć, Nisia, chociaż ty...". Ciche łzy wsiąkały w twardą więzienną poduszkę. „Nazwałaś mnie bandytą... Ja ciebie znacznie gorzej... Co mnie opętało?!".

Gdyby teraz miał dziewczynę przed sobą, padłby na kolana i całując ją po rękach, błagał o wybaczenie. Jednak na wszystko było już za późno. Za chwilę, żeby jakoś przetrwać, nie oszaleć z rozpaczy i żalu, zacznie szukać winnego. Albo winnej. W głowie rozlegnie się cichy szept: „Zdradziła cię z Zadrą". Pamięć podsunie uprzejmie fotkę, na której Weronika tuli się do znienawidzonego wroga i radośnie go całuje.

Wiktor zacisnął zęby, aż zgrzytnęło. Zdjęcie nie było fotomontażem, a Weronika przyznała się do wszystkiego. Rozpacz zamieniała się w gniew. Gniew we wściekłość. Potylica rwała trudnym do zniesienia bólem, ale ten drugi, ból potrzaskanego serca, był znacznie dotkliwszy.

Świt zajrzał przez małe, okratowane okno. Wiktor patrzył w nie szklistym wzrokiem człowieka pozbawionego nadziei. Kilka kilometrów stąd w zakratowane okno patrzyła Weronika. Ona też przepłakała całą noc. Jej serce również umierało z bólu po stracie pierwszej i jedynej miłości. Jeśli zaś miała jakąkolwiek nadzieję, to zgasła ona na wspomnienie ostatnich słów, jakimi poczęstował ją Wiktor.

Nie było dla nich przyszłości. Już nie...

Doktor Kochanowski ocknął się, gdy pierwsze promienie słońca padły na jego twarz i poraziły oczy. Zesztywniały z zimna i od niewygodnej pozycji – zasnął, siedząc na twardej, drewnianej ławce – potarł powieki. Koc, którym okryła go litościwa dusza, zsunął mu się z ramion.

„Nisia", pomyślał z wdzięcznością. Jego urocza asystentka, tak bardzo skrzywdzona ostatniej nocy, musiała go odnaleźć i okryć. Mimo rozpaczy, która ją złamała, myślała o innych, jak choćby o nim...

Wstał, obszedł budynek lecznicy dookoła i nacisnął klamkę. Drzwi ustąpiły. Mógł wejść do środka. Znów posłał serdeczną myśl dziewczynie, która mogła zamknąć się w swoim bólu i wypiąć na resztę świata, jednak o ową resztę, w tym doktora i jego pacjentów, zadbała.

Wbiegł po schodkach na górę i zatrzymał się na progu kanciapki. Weronika spała, skulona niczym pisklę w jajku, tuląc do poduszki mokry od łez policzek.

„Dzieciaku kochany", przemknęło Kochanowskiemu przez myśl, gdy podchodził do wąskiej, niewygodnej kozetki, by okryć dziewczynę kocem. Serce tego mężczyzny, dobrego na wskroś, ścisnęło się ze współczucia. Była tak drobna i niewinna... Nawet przez sen wstrząsało nią łkanie... „Jak ci pomóc, dziewczynko?". Nie miał pojęcia.

Nagle go olśniło. Praca! Ona potrafi uzdrowić najbardziej zbolałą duszę. Praca, która jest pasją, jak dla Weroniki pasją była weterynaria! Żeby tylko udało mu się nakłonić dziewczynę, by przychodziła do lecznicy tak jak poprzednio... Nie znał jej planów na najbliższą przyszłość, pewnie ona sama ich jeszcze nie znała, ale nie powinna porzucać swej pasji! Oddanie pacjentom zmniejszy ból. Weronika, mając zajęcie, nie będzie w trującej samotności rozpamiętywać straty i rozdrapywać ran. W końcu zapomni albo przynajmniej przeboleje odejście Wiktora i może zakocha się w kimś innym? Była przecież taka młodziutka...

Pozwolił jej spać niemal do południa.

Zamknął drzwi do kanciapki, za to otworzył, gościnnie i szeroko, te do lecznicy. Przez następne cztery godziny oddawał się leczeniu psiaków, kociąt, żółwi i chomików, tudzież flirtowaniu z ich właścicielkami, to ostatnie czynił jednak bez zwykłego zaangażowania, zupełnie jakby przeżycia ostatniej nocy i w nim coś zmieniły, a może było to li tylko zmęczenie?

Przyjmował pacjentów jednego po drugim, ucinał pogawędki z wpatrzonymi w niego kobietami szybko, bez tej wylewności, co zwykle. Poczekalnia zaświeciła pustkami długo przed czasem, co chyba nigdy w karierze doktora Kochanowskiego się nie zdarzyło.

– Przerwa na lunch – Piotr rzucił do siebie, czując jak bardzo potrzebuje paru chwil oddechu.

Na drzwiach do lecznicy wywiesił stosowną informację, po czym zamknął je na klucz i ruszył na pięterko, gdzie do żywych właśnie wracała Weronika.

Przysiadł na kozetce w momencie, gdy otwierała opuchnięte od łez oczy i w następnej chwili aż zaklął na widok fioletowych sińców na szyi dziewczyny, w miejscu gdzie pewien skurczysyn zacisnął palce.

– Jak się czujesz? – zapytał cicho, odgarniając z czoła Weroniki kosmyk włosów.

Nie odpowiedziała. Patrzyła tylko na doktora pełnymi żalu oczami.

– Zrobić ci coś do jedzenia?

– Dziękuję, ale nie jestem głodna – szepnęła.

– Może chociaż napijesz się herbaty? – W jego głosie zabrzmiała prośba.

Nie wiedział, jak sobie radzić w takich sytuacjach. Nigdy nie miał pod opieką istoty tak skrzywdzonej, jak Weronika.

– Panie doktorze… – zaczęła i głos się jej w następnej chwili załamał. – Chciałabym zostać sama. Jestem… bardzo zmęczona.

– Tak. Oczywiście – odparł odruchowo, nakrywając ją kocem. – W razie czego, jestem na dole, w gabinecie. Gdybyś czegokolwiek potrzebowała...

– Dziękuję – szepnęła raz jeszcze, po czym odwróciła się doń plecami, naciągając koc aż na głowę.

Stał długą chwilę przy kozetce, sam nieszczęśliwy, nie bardzo wiedząc, co robić. Wreszcie westchnął z głębi serca i wyszedł, zamykając za sobą drzwi. Dziś zostawi Weronikę w spokoju – postanowił. – Ale jutro zmusi ją, by zaczęła jeść. Jeśli jemu to się nie uda, poprosi o pomoc specjalistów.

Odpowiedzialność za podopieczną, z którą nic właściwie Kochanowskiego nie łączyło, powinna mu zaciążyć, on jednak był lekarzem z powołania. Nie potrafiłby odmówić pomocy żadnej cierpiącej istocie.

Na razie więc nie będzie Weroniki gonił do roboty, dziewczyna musi odchorować zawód miłosny i to, co chciał jej zrobić pewien napakowany bydlak, ale za kilka dni – tyle powinno jej wystarczyć, no nie? – poprosi ją o pomoc przy jednej operacji, potem następnej... Powoli, krok po kroku, wyciągnie dziewczynę do świata.

Jak zawsze pełen optymizmu, rozwarł na całą szerokość drzwi do lecznicy i zajął się pacjentami. I oczywiście ich właścicielkami.

Weronika leżała na kozetce tak, jak ją zostawił, z kocem nasuniętym na głowę i łzami wsiąkającymi w poduszkę, błagając o litość. Dla siebie i dla Wiktora.

ROZDZIAŁ IV
ZADRA

– Te, młody, masz widzenie – rzucił od progu gliniarz, omiatając wnętrze ciasnej celi uważnym spojrzeniem.

Dyżurny z nocnej zmiany przekazał mu, że mają dziś „pacjenta specjalnej troski", nastoletniego gnojka z interwencji. Recydywistę, jak napomknęli ci, którzy go zatrzymali. Przywieźli go półprzytomnego od wódki, pewnie po drodze nieco poturbowali, bo się szczeniak stawiał. Trzeba mieć na niego oko, żeby więcej kłopotów nie narobił...

Gliniarz przyglądał się leżącemu na dolnej pryczy chłopakowi z lekkim niedowierzaniem. Do czego to dochodzi: dzieciak i już recydywa! Na poduszce, którą miał pod głową, widniały plamy czarnej, zakrzepłej krwi. Pewnie ci z interwencji potraktowali go czymś ciężkim, ale w razie czego zwali się na trzech meneli, z którymi szczeniaka zamknięto.

– Wstawaj, młody – zaczął raz jeszcze, bo ten jak leżał z oczami zasłoniętymi przedramieniem, tak leżał.

– Nie oczekuję gości – padła cicha odpowiedź.

– To nie hotel, tu nie przyjmuje się gości. Masz widzenie, więc ruszysz dupę i spotkasz się z tym, który się do ciebie fatygował. I radzę ci z czystej życzliwości: nie odrzucaj pomocnej dłoni. Jesteś na tak nieciekawej pozycji, że każda będzie ci potrzebna – odparł policjant beznamiętnym tonem. – Wstajesz sam, czy mam ci pomóc? – dodał z rosnącą irytacją, bo tamten ani drgnął.

Musiał się podnieść.

Głowa rwała takim bólem, że przed oczami wirowały mu czerwone plamy, ale nie pisnął ani słowa, nie poprosił o tabletkę. Zasłużył choćby na taką karę…

Wstał i na uginających się nogach ruszył do wyjścia, odprowadzany ponurymi spojrzeniami trzech meneli.

Jan Zadra – znowu on!, Wiktor aż zgrzytnął zębami na widok tego faceta – siedział rozparty na fotelu po drugiej stronie biurka, niczym władca, łaskawie udzielający audiencji.

Policjant, który przyprowadził chłopaka, nieco się nastroszył, bo to był jego pokój, jego biurko i jego fotel, ale tamten machnął mu przed oczami blachą z większym orłem, niż na jego własnej, więc cóż… nie odezwał się ani słowem.

– Zostawisz nas na parę minut? – zapytał Zadra.

– Jasne. Skuć go na wszelki wypadek?

Obaj spojrzeli na Helerta. Stał po drugiej stronie biurka ze wzrokiem wbitym w obskurne linoleum, blady, niemal półprzytomny, i ledwo zauważalnie chwiał się na nogach. Prawdę mówiąc, powinno się go zawieźć do szpitala, tak na wszelki wypadek, bo koszulę na plecach miał czarną od krwi, ale... recydywiści, nawet nastoletni, nie cieszą się sympatią policji.

– Daj spokój. – Zadra lekceważąco machnął ręką. – Helert tym razem nie będzie się stawiał, no nie? – To pytanie było już skierowane do chłopaka. Ten nie odpowiedział. Być może jego umysł, otumaniony bólem, tym, co wczoraj podrzucono mu do piwa oraz wódką, którą potem w niego wlano, nawet nie zarejestrował, że o coś go pytają.

Policjant wyszedł, zamykając za sobą drzwi.

Zadra wstał, obszedł biurko, po czym warknął: – Siadaj, gnoju! – i pchnął chłopaka na krzesło.

Wiktor posłał mu jedno jedyne spojrzenie. Tak przesycone nienawiścią, że aż chciałoby się przywalić gówniarzowi z pięści...

– Nie cieszysz się na widok przyjaciela, co, Helert?

– Na widok przyjaciela bym się ucieszył – odparł cicho Wiktor, nie podnosząc na mężczyznę oczu. Po prostu nie mógł na niego patrzeć.

– Tam, gdzie za chwilę pójdziesz, nauczą cię pokory, jestem o to dziwnie spokojny – w głosie Zadry była jedynie ironia. Nienawiść, jaką czuł do tego szczeniaka, ukrył głęboko pod nią. – Możesz powiedzieć, co ci odbiło? Dlaczego, będąc na zwolnieniu warunkowym, nie dość że schlałeś się do nieprzytomności, to na oczach świadków podpieprzyłeś forda mustanga synalkowi posła? Tobie wolność mogła się znudzić, ale domyślasz się, jak zraniłeś tym Weronikę?

– Nie ukradłem tego samochodu – wycedził Wiktor. – Nie jestem złodziejem!

– Pamiętasz cokolwiek z wczorajszego wieczoru?

Musiał zaprzeczyć. W umyśle miał wielką czarną dziurę, która sięgała od momentu, gdy wypił pierwsze piwo, do chwili, gdy ocknął się w samochodzie ze zdjęciem Weroniki i Zadry w ręku. Może jednak... może rzeczywiście wsiadł do mustanga, chcąc zaszpanować przed kumplem, i odjechał? Mógł to być głupi, szczeniacki wybryk, ale przecież nie kradzież! Nie jest złodziejem!

Łzy napłynęły mu do oczu. Dobrze, że siedział z pochyloną głową i Zadra nie mógł ich widzieć. Dopiero miałby, bydlak, satysfakcję...

– Załatwię ci dobrego prawnika – odezwał się tamten.

Wiktor żachnął się:

– Nie potrzebuję...

– Potrzebujesz, wierz mi, Helert. Cudu nie oczekuj, pójdziesz siedzieć, jak amen w pacierzu, ale postaramy się uzyskać dla ciebie jak najniższy wyrok.

„Pójdziesz siedzieć", Wiktor, słysząc te słowa, zachłysnął się własnym oddechem. Więc jednak... Jeżeli do tej pory miał nikłą nadzieję, że wszystko się wyjaśni, że to jedynie durne nieporozumienie, teraz brutalnie sprowadzono go na ziemię. Zacisnął powieki, żeby siłą powtrzymać łzy. Nie mógł rozpłakać się przy Zadrze!

Ten obserwował Helerta z twarzą całkowicie nieruchomą. Gdyby chłopak chciał nagle spojrzeć mu w oczy, nie dojrzałby żadnych uczuć. Ani owej nienawiści, ani satysfakcji, ani... zadowolenia z dobrze odwalonej roboty. Widział, jak chłopak walczy ze łzami, jak przygarbił ramiona, słysząc o więzieniu i cieszył się z upodlenia niepokornego gnojka. Mógłby złamać go całkiem już teraz, opowiadając, w jakim towarzystwie Wiktorek spędzi najbliższe trzy lata, może więcej, ale Zadrze na tym nie zależało. Helert ma pozostać niepokorny i waleczny, a przy tym całkowicie zdany na jego łaskę i niełaskę. Pora więc na drugi cios.

– Straciłeś Weronikę. Wiesz o tym, rzecz jasna?

Na dźwięk tego imienia chłopak poderwał głowę. Oczy, błyszczące od łez, pociemniały mu z rozpaczy.

– Poprawczak mogła ci jeszcze wybaczyć, widać naprawdę cię kochała, ale na recydywistę czekać nie będzie. – Zadra mówił to spokojnym, niemal łagodnym tonem, pilnując, by każde słowo wbiło się w umysł i serce chłopaka. – Ty ją wczoraj pobiłeś? – rzucił od niechcenia.

– Nie pobiłem jej! – Wiktor poderwał się na równe nogi. – Nie podniósłbym na nią ręki! Nigdy! Co jej jest?! Widziałeś ją?

– Miała siniaki na ramionach. I na policzku – zełgał. Helert nie mógł przecież tego sprawdzić. – Uznałem, że to ty...

– Nie uderzyłbym Weroniki – wycedził Wiktor, z całej siły zaciskając palce na oparciu krzesła. Jeszcze chwila i rzuci się do gardła skurwielowi, który próbuje mu wmówić także to! – Gliny, które na mnie nasłałeś, zdzieliły mnie karabinem w potylicę, ją mogły więc potraktować z pięści.

Zadra skinął głową, jakby się z nim zgadzał.

Miał pełną świadomość, że nie może na razie zbliżyć się do dziewczyny. Ten koleś, który przygrzmocił mu z pięści w krtań – kim on w ogóle jest?, warto by mu się przyjrzeć... – na pewno otoczy Nisię czułą opieką. Może to i lepiej, bo naprawdę odbiło jemu, Zadrze, na punkcie szczeniary. Wczoraj o mały włos byłby się zapomniał i poszedł na całość, a oskarżenia o gwałt nie było mu trzeba, co to, to nie. Zamieszkałby w jednej celi z Helertem...

Jednak to, że Weroniczka wymknęła się z napalonych rąk Zadry nie znaczy, że całkiem ją sobie odpuści. Przeciwnie. Teraz wykorzysta ją do swoich celów na zimno i z premedytacją. Bez litości, jaką miałby do dziewczyny, gdyby okazała się nieco milsza.

– Została sama – odezwał się na głos. – Załamana, zrozpaczona i całkiem sama. Wiesz, jak niszczyć tych, co cię kochają, Helert. Najpierw twoja matka, teraz Weronika... – Ależ sprawiało mu frajdę wrażanie tych słów w serce chłopaka.

On nie odrzekł nic. Osunął się na krzesło, przygarbił ramiona i spuścił głowę, jak poprzednio.

– Masz choć odrobinę ludzkich uczuć, Wiktor? Wczoraj, gdy zaczynałeś chlać, nie pomyślałeś, jak krzywdzisz tym dziewczynę, która naprawdę cię kocha?

Znów te łzy, piekące łzy żalu i wściekłości, którym nie wolno popłynąć. Nie teraz, gdy skurwiel Zadra wbija w niego, Wiktora, jadowite spojrzenie.

– Wierzyła w ciebie, tak jak i my. Szukała cię po całej Polsce. Gotowa była ręczyć głową, bylebyś warunkowo wyszedł wcześniej. I wyszedłeś. Po to tylko, by miesiąc później… Ech, Wiktor, kto jak kto, ale ty potrafisz spartolić sobie życie. Żeby tylko sobie… Nie wiem, co będzie z tą dziewczyną. Po prostu ją zabiłeś.

Wiktor poderwał głowę, mniejsza o łzy.

– Pomóż jej – w głosie tego dumnego chłopaka po raz pierwszy zabrzmiało błaganie. – Pamiętasz, z czym do mnie przyszedłeś?

Zadra wzruszył ramionami, chociaż jak najbardziej pamiętał.

– Dostaniecie to, czego ode mnie żądacie, tylko pomóżcie Weronice. Ona jest taka wrażliwa i delikatna. Może zrobić sobie coś złego, a przecież to nie jej wina, że jestem… jestem skończonym skurwielem. Pomóż jej, Zadra. Bądź przy Weronice, dopóki… z tego nie wyjdzie. Nie znajdzie kogoś, kto się nią zaopiekuje. Kogoś, kto będzie ją kochał tak, jak Weronika na to zasługuje. Ona nie może… nie może znów chodzić głodna. Proszę…

Urwał. Otarł szybkim gestem wilgoć z policzka.

– Dobrze, Wiktor – padło po długiej, długiej chwili. – Dla ciebie nie kiwnąłbym palcem. Zawiodłeś i mnie, i tych, którzy na ciebie liczyli. Ale Weronika da się lubić. I dla jej dobra przyjmuję twoją propozycję. Dopóki będziesz robił to, czego od ciebie żądamy, ona będzie bezpieczna. Deal?

Wyciągnął do chłopaka rękę. Jak kiedyś. Tylko wtedy wredny gnojek tę dłoń odtrącił. Dziś pokornie podał swoją. Mocnym uściskiem przypieczętowali pakt, w którym stawką było życie Weroniki. Tak oto stała się ona zakładniczką Zadry i tych, którzy za nim stoją.

Przy czym ona sama nie miała o tym pojęcia, a Wiktor, zamiast gołymi rękami rozerwać Zadrę na krwawe strzępy za całą tę intrygę, dziękował mu z nieudawaną wdzięcznością.

Kiedyś zrozumie, jak został zmanipulowany i być może wystawi komu trzeba rachunek, dziś jednak, mając przed sobą kilka lat odsiadki, był wdzięczny, że ktoś zaopiekuje się chociaż nią, Weroniką, utraconą miłością jego życia…

ROZDZIAŁ V

DOKTOR

Piotr Kochanowski siedział na ławce przed lecznicą, oddychając świeżym powietrzem podczas krótkiej przerwy. Lepiej się myślało tutaj, na słońcu, niż w ponurym lekarskim gabinecie.

Nie bardzo wiedział, co począć z pisklęciem, które los podrzucił mu do kanciapki na piętrze. I nie, nie było to pisklę kosa czy szpaka, bo z tym doktor poradziłby sobie śpiewająco, lecz pogrążona w rozpaczy dziewczyna, którą miesiąc temu, w pewną straszną noc, przywiózł do lecznicy i tak już została.

– Weronika przez jakiś czas będzie u nas mieszkać. Na piętrze. – Piotr rano następnego dnia uprzedził starszego kolegę. Lutek, nawet jeśli był zdziwiony niespodziewanym gościem, nie dał tego po sobie poznać.

Pogroził tylko Kochanowskiemu palcem, wcale poważnie.

– Pamiętasz, że to dziecko nie ma jeszcze osiemnastu lat?

Ten żachnął się, szczerze oburzony, że Lutek może go podejrzewać o niecne zamiary.

– Musisz szybko znaleźć jej inną kwaterę – ciągnął starszy doktor. – Nie wypada, by mieszkała w lecznicy. Z dwoma staruchami.

– Mów o sobie, okej? – Piotr oburzył się ponownie. – Ale co do tej kwatery, masz rację. Zaraz wywieszę ogłoszenie. Zdejmę poprzednie, o parze, która poszukuje mieszkania. Może osobie samotnej chętniej wynajmą jakiś kąt.

– To Weronika i ten jej Wiktor nie są już parą? – zdziwił się półgłosem starszy człowiek, oglądając się ostrożnie na drzwi, w których w każdej chwili mogła stanąć dziewczyna.

Kochanowski pokręcił tylko głową.

– W nocy mieliśmy tam, na Czeremchowej, niezłą zadymę. Nie ogarniam do końca, co zaszło, ale jego aresztowała policja, ją przywiozłem tutaj.

– Nic dobrego z tego chłopaka nie będzie. Od razu tak mówiłem – skwitował ze smutkiem, ale i odrobiną satysfakcji starszy doktor i przez następne tygodnie powtarzał te słowa przy każdej okazji.

Weronika nie była uciążliwa ani dla Piotra, ani dla doktora Lutka, chociaż starszy człowiek wciąż się zżymał, że samotna dziewczyna nie powinna mieszkać pod jednym dachem z dwoma mężczyznami. Kochanowski, słysząc podobne uwagi wypowiadane przyciszonym głosem, wzruszał ramionami. On Weronice nie zagrażał, doktor Lutek tym bardziej. Ten jednak odpowiadał: „Co ludzie powiedzą?".

Ludzie nie mieli pojęcia, że ktoś mieszka w kanciapce na piętrze, bo Weronika rzadko z niej wychodziła, a właściwie wcale. Całymi dniami leżała na kozetce, zwinięta w godny pożałowania kłębek, z kocem naciągniętym na głowę i cicho płakała. Tak cicho, że Piotr mógł to poznać tylko po drżących plecach.

Schudła przez ten czas tak bardzo, że znów doktor Lutek zaczął sarkać: „Jeszcze nam tu zemdleje albo, nie daj Boże, stanie się coś gorszego, i dopiero będzie kłopot!". Kochanowski i te komentarze kwitował wzruszeniem ramion, ale sam zaczął się obawiać o zdrowie dziewczyny. Mogła nie wychodzić spod koca, rozumiał jej rozpacz, mogła nie pomagać im w lecznicy, ale musiała jeść!

Pierwszego dnia przywiózł wszystkie rzeczy jej i Wiktora, jakie Magda spakowała do kilku kartonów, Weronika miała się więc w co ubrać i jedynie o to dbała: by nakładać czyste rzeczy. Otoczyła się pamiątkami po utraconym życiu, na małym biurku, które specjalnie dla niej doktor ustawił pod oknem kanciapki, stało zdjęcie dwojga szczęśliwych, zakochanych młodych ludzi, pośrodku pecet, który Wiktor kupił na giełdzie, a Weronika, nie wiadomo po co zatrzymała to ustrojstwo, zamiast sprzedać, a pieniądze przejeść. Spała z buzią wtuloną w koszulę chłopaka i byłoby to doprawdy romantyczne, gdyby nie zakrawało na obsesję! Kochanowski zaczął tracić cierpliwość do podopiecznej...

Dał jej czas do połowy sierpnia, wreszcie któregoś pięknego ranka zapisał dziewczynę do psychiatry, choć próbowała oponować. Mały szantaż: albo jedziemy do lekarza, albo... – Piotr nie miał serca dokończyć „robisz wypad z lecznicy", bo gdzie niby Weronika miała się podziać? Jednak zrozumiała subtelną aluzję. Pozwoliła zawieźć się do zaprzyjaźnionego z Kochanowskim specjalisty i... to by było na tyle. Ten stwierdził z egzaltowanym westchnieniem: „Na miłość nie ma rady!", zdiagnozował u dziewczyny łagodny stan depresyjny, nakazał odpoczynek – jakby mało się przez miesiąc naodpoczywała – przepisał ziółka, zainkasował stówę „po znajomości" i było po wizycie.

– Tę stówę mógłby pan, panie doktorze, wydać na ptasie mleczko, które oboje uwielbiamy – mruknęła Weronika, gdy wsiadali z powrotem do samochodu. – Byłoby i milej, i skuteczniej.

Musiał przyznać jej rację, ale chciał też być w zgodzie ze swoim sumieniem. Gdyby dziewczyna coś sobie zrobiła, pozostając pod jego opieką, nigdy by sobie tego nie darował. Dziś, gdy specjalista stwierdził, że nic jej nie jest, Piotr mógł odetchnąć z ulgą.

– Milej i skuteczniej byłoby, gdybyś choć ptasiego mleczka skubnęła – odparł opryskliwie, bo naprawdę zaczęła go wkurzać. – Przyrzekam, Nika, jeśli zemdlejesz z wycieńczenia, wiozę cię do szpitala i niech kto inny się o ciebie martwi.

Wbił wzrok w drogę przed sobą, żeby nie widzieć jej oczu, które natychmiast wypełniły się łzami.

– Przepraszam – szepnęła, nieszczęśliwa jeszcze bardziej, o ile to w ogóle możliwe. – Ja próbuję, naprawdę, ale... po prostu nie mogę.

– Więc próbuj bardziej, na miłość boską! Twój Wiktor ma o wiele trudniej, pragnę zauważyć! Siedzi pewnie w pierdlu ze zbirami, nikt nie podsuwa mu ptasiego mleczka, przeciwnie, być może go głodzą, ale on musi trwać, nie może zwinąć się pod kocem i cierpieć przez całe tygodnie! Ogarnij się, dziewczyno, jeśli nie dla siebie, to dla niego!

Słowa doktora, pełne złości, wstrząsnęły Weroniką podwójnie. Mężczyzna nigdy nie podniósł na nią głosu, teraz zaś po prostu się wydzierał. No i mówił prawdę: ona mogła pozwolić sobie na rozpacz i żal, ale Wiktor... Co z nim?!

Za chwilę miała się dowiedzieć.

– Postaram się jeść, panie doktorze – odezwała się Weronika pokornie, gdy odwiózł ją z powrotem do lecznicy. On sam skończył dyżur.

Złość jeszcze mu nie przeszła, więc sarknął tylko:

– Ty się nie staraj, ty jedz!

Patrzył przez chwilę, jak przygarbiona wlecze się przez parking i znika w drzwiach lecznicy, i już miał wsiadać do samochodu, wyrwać się w cholerę z miejsca pełnego załamanych nastolatek, zapomnieć o całym świecie w ramionach pięknej, a przede wszystkim uśmiechniętej, przyjaciółki, gdy... zwolnił kroku.

Na parking wjechał czarny fiat punto i wysiadł z niego ktoś, na kogo widok Kochanowski poczuł jak wszystkie mięśnie napinają się, gotowe do walki.

Jan Zadra, bo to on zawitał w odwiedziny tym razem do Weroniki, ruszył w stronę lekarza, unosząc ręce w pojednawczym geście.

– Przybywam w pokojowych zamiarach. Chcę się upewnić, że dziewczyna jest cała i zdrowa.

– Po tym, jak wyrwałem ją z twoich lepkich łap, człowieku, owszem. Jest.

Zadra zmierzył mężczyznę chłodnym spojrzeniem. Cios miał koleś niezły. Niemal zmiażdżył mu tamtej nocy krtań.

– Nie wiem, o czym mówisz, doktorku. Wtedy było ciemno. Musiało ci się coś przewidzieć. Próbowałem Weronikę uspokoić po tym, jak gliniarze z buta potraktowali ją i tego jej Wiktorka, a że była w szoku, też widać źle zrozumiała moje intencje, zaczęła się wyrywać jak szalona i...

– I dostałeś z piąchy – wpadł mu w słowo Kochanowski. – Plus uprzejmą prośbę, byś trzymał się od niej z daleka. Chcesz oberwać raz jeszcze?

– Chcę z nią pogadać – głos Zadry stwardniał. Znudziło mu się pieprzenie równie uprzejme jak ta prośba.

– Nie jestem pewien, czy ona chce gadać z tobą.

– Zapytaj ją więc. Nie omieszkaj dodać, że Wiktora zabrali do szpitala.

Doktor, w pierwszym momencie gotów wysłać intruza do diabła, zawahał się. Zaniepokoił. Może dwoje młodych rozstało się w dramatycznych okolicznościach, ale Weronika nie darowałaby doktorowi, gdyby zataił przed nią coś takiego, a posłańca przegnał.

– Co mu się stało?

– O tym pogadam z Weroniką – uciął Zadra.

Doktor, chcąc nie chcąc, zaprosił go do środka.

Weronika właśnie podjęła decyzję, że wraca do żywych. Narzuciła na ramiona zielony fartuch, w którym zawsze asystowała lekarzom i zeszła na parter, gotowa do pomocy, gdy... zielone oczy nagle pociemniały z nienawiści i odrazy. Jan Zadra! Śmiał przyjechać tutaj, w biały dzień, po tym, co próbował jej zrobić?!

Zadra już wcześniej, u Wiktora, widział takie spojrzenie, po czym zgasił je szybko i skutecznie. Z nią też sobie poradzi. Spokojna głowa.

– Przyjechałem sprawdzić, czy z tobą wszystko w porządku – zaczął łagodnym, miękkim tonem.

Aż się cofnęła, nie wierząc, że ten typ śmie nachodzić ją ponownie.

– Tym razem pójdę na policję – zagroziła łamiącym się głosem.

Zadra westchnął.

– Tyle razy powtarzałem tobie i jemu: nie jestem waszym wrogiem, wręcz przeciwnie! Gdyby gnojek mnie posłuchał… – Urwał. Machnął z rezygnacją ręką. – Jest w szpitalu – rzucił, wiedząc, że Weronika na te słowa zapomni o tamtej nocy, zapomni o całym świecie. Pożarła się z Wiktorem czy nie, szczeniak złamał jej serce albo nie złamał, ona jeszcze długo o nim nie zapomni…

Widać dobrze znał takie naiwne dziewczynki.

– Co mu się stało? Gdzie on jest? – Gotowa była jechać do tego szpitala natychmiast.

– Przecież cię do niego nie wpuszczą. Nadal jest aresztowany, przypominam, pod kilkoma poważnymi zarzutami.

– Nie wierzę, że ukradł ten samochód – rzuciła wrogo, kręcąc głową. – Nie on. Wiktor jest dobrym człowiekiem. Nie zrobi pan z niego bandziora. Nie ma mowy.

– Przyznał się.

Te dwa krótkie słowa sprawiły, że oddech uwiązł dziewczynie w krtani. Poczuła, że się dusi.

– N-nie wierzę – wykrztusiła.

– Nika, nie mam powodu, by łgać ci w żywe oczy. Wiktor przyznał się do kradzieży mustanga. Ponoć chciał ci zaimponować i chyba coś mu nie wyszło. Za durny wybryk dostanie co najmniej trzy lata. Trzy lata odsiadki. Nie będzie przeproś. A wszystko dlatego, że chciał przyszpanować przed swoją dziewczyną…

Weronika poczuła, jak żal i poczucie winy podcinają jej kolana. Musiała usiąść na ławce, żeby nie upaść.

„Wiktor, jak mogłeś pomyśleć, że zależy mi na tanim szpanie?! Dla mnie kradłeś samochód?! Serio?!".

Już miała rzucić Zadrze w twarz, że ten łże, próbuje do końca oczernić Wiktora w jej oczach, ale w tym momencie pamięć podsunęła pewne wspomnienie... Rozmawiali właśnie o samochodach. Wiktor, pasjonat wszystkiego, co ma cztery koła, marzył na głos, jakim to cudem już niedługo będzie jeździł. Padały nazwy znanych marek: porsche, maserati, lamborghini... Weronika z pobłażaniem słuchała pełnych zachwytu słów chłopaka, gdy rozwodził się o osiągach, silniku i tym wszystkim, co dla dziewczyny stanowi czarną magię, lecz w pewnej chwili, gdy rzucił cenę najnowszego modelu carrery parsknęła śmiechem:

– Wikuś, prędzej ja polecę w kosmos, niż ty usiądziesz za kierownicą takiego auta. To milion złotych! Bądź rozsądny...

Wtedy zaczął się z nią przekomarzać, że za taką ślicznotkę – mówił o Weronice – marokański książę zapłaciłby w złocie i on, Wiktor, miałby na swoją carrerę. Dziewczyna oczywiście oburzyła się, że chce ją przehandlować Arabom, Wiktor zaczął ją przystrajać w czador z prześcieradła i tak, zaśmiewając się, skończyli na przytulankach i całuskach.

Dziś, patrząc z perspektywy wczorajszych wydarzeń, Weronice nie było do śmiechu. On mógłby to zrobić. Wiktor pod wpływem impulsu – i wódki – mógł podprowadzić forda mustanga po to tylko, żeby Weronika odszczekała tamte słowa. Potem oczywiście podrzuciłby go z powrotem – nie był złodziejem! – ale nie zdążył.

– Rozumiesz, czego się przez ciebie dopuścił? – usłyszała cichy głos Zadry.

Te dwa słowa: „przez ciebie"... Gdyby uderzył ją fizycznie, w twarz, bolałoby mniej...

– A mógłbyś, człowieku, nie wpędzać Niki w poczucie winy? – zdenerwował się doktor Kochanowski. – Dziewczyna od miesiąca tonie we łzach, nie śpi, nie je, ledwo trzyma się na nogach, a ten kretyn przychodzi i jeszcze ją dobija. Powiedziałeś, co miałeś powiedzieć, możesz więc opuścić teren lecznicy i więcej tu nie przyjeżdżać.

– Pan wybaczy, doktorze, ale rozmawiam z Weroniką. – Zadra zmierzył mężczyznę zimnym wzrokiem, po czym, ignorując go, zwrócił się do poszarzałej na twarzy dziewczyny: – Wiktora potraktowali z pięści „przyjaciele" z celi. – Zachwiała się, aż doktor musiał ją przytrzymać. – Nic mu nie jest! – Zadra pospieszył z uspokojeniem. – Nic, czego nie doświadczył w poprawczaku – łgał Weronice w żywe oczy, bo Wiktora rzeczywiście zawieźli do szpitala po awanturze w celi, ale bardziej poszkodowany był ten, który go sprowokował. Tego jednak dziewczyna nie musi wiedzieć. – Po prostu jest trochę poturbowany. Chciałbym się wystarać o jego przeniesienie w miejsce, gdzie będzie bezpieczniejszy, ale... Wszystko ma swoją cenę.

Dotąd słuchała go w milczeniu, ze spuszczoną głową, łykając łzy. Teraz spojrzała mu prosto w oczy. Znów będzie żądał haraczu w naturze, w zamian za bezpieczeństwo Wiktora? Za co ich oboje spotkało przekleństwo w osobie Jana Zadry?!

– Wiktor dla ciebie i przez ciebie gotów jest na wszystko – odezwał się tamten. – Jeśli znów za niego poręczę, a on ponownie wytnie jakiś numer… – Pokręcił głową.

– Co mam zrobić? – wyszeptała

– Daj sobie z nim spokój. Nigdy więcej go nie szukaj i nie próbuj się z nim skontaktować, a ja obiecuję, że zaopiekuję się tym głupim, niewdzięcznym gnojkiem. Dopilnuję, by odsiedział swoje, a potem już nigdy nie powtórzył starych błędów.

– Takich jak ja?

– Takich jak ty.

Milczała długą chwilę. Czy ból, jaki czuła przez ostatni miesiąc, każdej nocy i każdego dnia, kiedykolwiek zelżeje? Minie?

– Przeniesie go pan w bezpieczne miejsce?

– Tak, Nika. Jeśli zyskam pewność, że Wiktorowi nie odbije więcej na twoim punkcie, będę mógł spokojnie się nim zająć. To dobry chłopak, dopóki panuje nad sobą – głos mężczyzny brzmiał miękko i łagodnie. Był niezłym aktorem.

Weronika, wdzięczna za jego ostatnie słowa, próbowała się uśmiechnąć. Być może ten człowiek naprawdę stał po ich stronie, a oni zrobili wszystko, by go do siebie zrazić? Całe szczęście, że mimo to nie odwrócił się od niej i Wiktora.

– Dziękuję – rzekła z głębi serca.

Zadra zaśmiał się w duchu. Drugie głupie, naiwne dziecko urobione dokładnie tak, jak chciał.

Sięgnął do portfela. Wyciągnął kilka banknotów i próbował wcisnąć je dziewczynie do ręki, ale cofnęła się jak oparzona. Przyjmie od Zadry pomocną dłoń, ale żadnych pieniędzy!

– Nie bądź głupia, Nika. To od niego, nie ode mnie. Wiktor przez najbliższe trzy lata pozostanie na utrzymaniu podatnika. Będzie mu potrzebne trochę szczęścia, a nie pieniądze. Bierz, dziewczyno.

Przyjęła, jeszcze bardziej wdzięczna. Szkoda, że nie temu, co trzeba...

– Masz moją wizytówkę. Nie chcę tracić cię z oczu.

Zawahała się. Nie wyciągnęła ręki po biały kartonik.

Spróbował inaczej:

– Być może zechcą cię przesłuchać. Dobrze byłoby, żeby ktokolwiek powiedział choć jedno dobre słowo o tym chłopaku. Bardzo by mu to pomogło.

Kiwnęła głową.

– Będę zeznawać.

– Jeśli jednak mogłabyś mu zaszkodzić...

– Wiktorowi? Nigdy.

Przyglądał się przez chwilę dziewczynie, jakby ważył w myślach, czy może jej zaufać. W rzeczywistości jednak czekał, aż ona sama, wydawałoby się z nieprzymuszonej woli, wyjmie mu z palców wizytówkę i powie:

– Gdy znajdę stancję, podam panu nowy adres. Chcę zeznawać. Proszę.

W duchu zaśmiał się triumfalnie.

Omal nie dał ciała, serio! Popełniał błąd za błędem, ale też nikt nie kształcił go do takich misji. On miał walić w mordę, a nie dyplomatycznie zabiegać o względy dwojga gówniarzy. Jednak koniec końców, dopiął swego. I to w pięknym stylu! Oto na smyczy zwanej Weronika od kilku tygodni prowadził Wiktorka, a na drugiej, o wdzięcznym imieniu Wiktor, uwiązał właśnie Weroniczkę. Kiedyś jedno albo drugie spróbuje się zerwać, to pewne, ale dopiero za parę lat. Wtedy... się pomyśli.

Gestem dobrego wujaszka potargał dziewczynę po włosach, odwrócił się i już miał wsiadać do samochodu, bardzo z siebie zadowolony, gdy zatrzymała go dłoń Kochanowskiego, zaciskająca się na jego ramieniu.

– Słuchaj, łachudro – zaczął doktor cicho, ale takim tonem, że Zadra znieruchomiał. – Nie wiem, w co ty grasz, ale rozegrałeś tych dwoje bez pudła. Weronika zapomniała, jak próbowałeś ją zgwałcić, bo to była próba gwałtu a nie pocieszenia, skurwielu, i zamiast cię nienawidzić całym sercem, jest wdzięczna za twoje słodkie obietnice, których nie zamierzasz dotrzymać. Wiktora zapewne ustawiłeś podobnie. Spróbuj skrzywdzić tę dziewczynę, tknąć ją choćby palcem i... wykastruję cię na żywca. A wiedz, że potrafię.

Zadra chwycił go za dłoń i odepchnął.

– Z takim bohaterami jak ty, doktorku, bawię się zupełnie inaczej. Więc uważaj, bo ty możesz stracić nie tylko jaja.

Jednym słowem: rozstali się jak przyjaciele.

Z ciężkim sercem Piotr zawrócił do dziewczyny. Domyślał się, że teraz, gdy straciła Wiktora na dobre, będzie zdruzgotana i znów zaszyje się pod kocem na długie tygodnie, ale… może jeszcze się nie uśmiechała, w jej oczach było jednak znacznie więcej życia, niż przed wizytą nieproszonego gościa.

– Wiktor będzie bezpieczny. Już nikt go nie pobije. – Teraz dopiero, mówiąc te słowa, uśmiechnęła się naprawdę.

Kochanowski zmrużył lekko oczy, znów czując złość i zapytał:

– Za jaką cenę? I czy on nie wolałby dostać łomot raz na jakiś czas, lecz po wyjściu z więzienia wrócić do ciebie?

Uśmiech zgasł. Chyba dopiero w tym momencie zaczęło docierać do Weroniki, co właściwie się wydarzyło. Co obiecała.

– Tak, Nisia… – Doktor zmęczonym gestem potarł twarz. – Wyrzekłaś się swojej miłości w zamian za mgliste obietnice, które nie wiadomo, czy zostaną dotrzymane. Bo jak to niby sprawdzisz, nie mając do Wiktora dostępu?

– Ale…

– Ciekawe, co za twoje bezpieczeństwo obiecał temu łachudrze Wiktor.

Weronika patrzyła na niego, oniemiała, by nagle wybuchnąć:

– Przemawia przez pana zazdrość! I o Wiktora, i o Zadrę!

– Bredzisz, dziecko…

– Nie jestem dzieckiem i potrafię sama decydować o własnym życiu!

– Tak, sama decydujesz, że znów jesteś bezdomna. A jutro będziesz głodna.

– Gdybym chciała… gdybym tylko chciała…

– No? – Uniósł brew i uśmiechnął się kpiąco. – Wróciłabyś do mamy i taty?

Patrzyła na niego przez chwilę z niedowierzaniem. Po ukochanym doktorze takiego okrucieństwa się nie spodziewała! Zanim jednak zdążyła zrobić w tył zwrot, pobiec na górę po swój plecaczek, wyjść z lecznicy i już nigdy nie wrócić, doktor położył jej rękę na ramieniu, uścisnął lekko i rzekł, zmieszany:

– Przepraszam, Nika. Nie wiem, co we mnie wstąpiło. Słuchałem, jak tamten łachudra na zmianę traktuje cię kijem i marchewką i nóż mi się w kieszeni otwierał. Na niego jestem wściekły, a wyżywam się na tobie…

– Zadra jest koordynatorem do spraw trudnych przypadków, takich jak Wiktor – odparła spokojnie, bo gniew na przyjaciela natychmiast minął. – Muszę wierzyć w jego dobre intencje. Wiktor wyszedł warunkowo, tak jak tamten obiecał. Mniejsza, czy on podpisał się pod wnioskiem, czy kto inny. Muszę wierzyć więc również w to, że pomoże Wiktorowi teraz, gdy jest jeszcze trudniej. Panie doktorze, Wiktor idzie do więzienia. Co najmniej na trzy lata – głos się jej załamał. – Będzie potrzebował każdej życzliwej duszy, nawet takiego Zadry…

– Ale nie ciebie? Wiara, że na niego czekasz, przydałaby mu się bardziej podczas tych długich trzech lat, nie uważasz?

Pokręciła głową, chociaż z trudem jej to przyszło.

– Wolę, żeby Zadra był po jego stronie, niż przeciw niemu. Proszę mi wierzyć, panie doktorze.

Nie znalazł na to dobrego argumentu. Chociaż: „Boże chroń nas od przyjaciół, z wrogami sami sobie poradzimy", pasowałoby tu jak ulał, ale przecież nie powie tego dziewczynie.

– Spotkamy się, gdy Wiktor wyjdzie na wolność – rzekła, patrząc przed siebie niewidzącym spojrzeniem. – I zaczniemy wszystko od nowa, jeśli on będzie tego chciał.

– On albo ty. Nie potrafię sobie nawet wyobrazić, co zakład karny, czy raczej jego pensjonariusze, potrafią zrobić z najlepszego nawet człowieka. Wiktor ma dopiero osiemnaście lat. – „Myślę, że szybko sobie z nim poradzą", chciał dokończyć, lecz to również pozostawił dla siebie.

– Będę na niego czekać – ucięła Weronika stanowczo.

Doktor uśmiechnął się tylko. Trzy lata dla młodej dziewczyny, to jak dla niego ćwierć wieku. Mógł się założyć już teraz, że Weronika nie mając z chłopakiem żadnego kontaktu, w końcu o Wiktorze zapomni.

I przegrałby ten zakład.

ROZDZIAŁ VI
WERONIKA

Człowiek z gruntu dobry – choćby urodził się w złym czasie i złym miejscu – pozostanie takim właśnie: dobrym, przyzwoitym człowiekiem. „Trudne dzieciństwo" jest jedynie wymówką. Nikt nam nie każe powtarzać błędów rodziców. Możemy wyszarpnąć się z toksycznego środowiska i ruszyć własną drogą – coś o tym wiem – chociaż na pewno będzie nam trudniej, niż wypieszczonym, wychuchanym cieplarnianym paprotkom.

A może nie?

Może siła jest właśnie w naszych doświadczeniach? Czy wychowywana bezstresowo cieplarniana paprotka dźwignęłaby się po życiowym kataklizmie? Któż to wie…

Jednak człowiek z gruntu dobry jest mało odporny na jeden rodzaj ludzkiego jadu: manipulację. W jego świecie, gdzie białe jest białe, a czarne – czarne, ufność czy wręcz naiwność stają się jego najsłabszym punktem, w który wyrachowani gracze potrafią uderzyć, oj tak… Komuś, kto wierzy ludziom, bo po prostu tak ma, jakoś nie mieści się w głowie, że ludzie ową ślepą wiarę mogą wykorzystać, a zaufanie podeptać. Dla nich prawdomówność, honor, przysięga – nic nie znaczą.

Jan Zadra zagrał mną przed laty bez finezji i dziś, gdyby zaczął swoje „daj mi, Weroniko, a twój ukochany będzie bezpieczny", dałabym, owszem, ale po pysku, odnalazłabym „ukochanego" i utrzymywałabym kontakt z nim, a nie napalonym na mnie „pośrednikiem". Nawet jeśli nie miałabym tej możliwości, bo „pośrednik" miałby na mnie potężniejszego haka, natychmiast przejrzałabym jego gierki i podjęła świadomą decyzję: dać to, czego „pośrednik" zażąda, czy narazić ukochanego na niebezpieczeństwo. Nie oddałabym się tak ślepo i naiwnie w łapy manipulanta.

Co jednak o życiu i ludzkiej podłości mogła wiedzieć siedemnastoletnia dziewczyna? Tak, znała podłość matki i ojca, nawet od ojczyma jej doświadczyła, oni wszyscy jednak krzywdzili ją otwarcie. Zadra natomiast, pod przykrywką troski i dobrych intencji, ukrywał wyrachowanie. Tych intencji było w nim nie więcej, niż w hienie, która zwietrzyła śmiertelnie ranne zwierzę. Dostał zadanie: zrobić z Wiktora bandytę i tylko ja, Weronisia Nocyk, naiwna nastolatka, zakochana nieprzytomnie w Wiktorze, stałam na drodze do tego celu. Zadra nie mógł usunąć mnie fizycznie. Mordercą – mam nadzieję – nie był. Postanowił więc zmieść mnie w inny sposób: wymóc przyrzeczenie, że sama usunę się z drogi.

Wracając do tamtych dni zawsze się zastanawiam, czy mogłam postąpić inaczej, rozważniej. Odpowiedź brzmi: nie. Nadal nie. Wciąż byłam dzieckiem, samodzielnym, zarabiającym na swoje utrzymanie – to fakt – ale dzieckiem, przed którym los stawiał ludzi bezwzględnych i wyrachowanych. Jak niby miałam z nimi walczyć?

Wezwanie do prokuratury przyszło w dniu, w którym Weronika miała przenieść się z kanciapki na stancję. To doktor Kochanowski wystarał się dla podopiecznej o pokój z własną łazienką u jednej ze swoich klientek.

Olśniło Piotra któregoś dnia, gdy pani Jadwiga poprosiła go o wizytę domową do swego ulubieńca, utuczonego niczym mały prosiak ratlerka. Zaszczepił psa i już miał się żegnać, gdy zapytał:

– Pani mieszka sama w tak dużym domu?

– Gdzie tam byłoby mnie stać, panie doktorze kochany! Toż ja ledwo na rencie ciągnę. Piętro oddałam córce z zięciem, a drugie wynajmuję na stancje.

O to chodziło!

– Moja asystentka szuka niekrępującego pokoju… – zaczął ostrożnie.

– A mam taki. Ładniutki, z balkonem i własną, chociaż niewielką, żadne tam wygody, łazienką. Jeśli towarzystwo na piętrze by jej odpowiadało…

– Towarzystwo? – Przed chwilą uradowany, że pani Jadwiga z pokojami na wynajem spada mu jak z nieba, teraz lekko się zaniepokoił.

– W tym roku trzymam górali. Trzech braci. Dwaj zajmują większy pokój, jeden – mniejszy. Średni z osobną łazienką byłby dla pana asystentki jak znalazł.

Pokręcił głową. Weronika pod jednym dachem z trzema jurnymi góralami? Nie ma mowy!

– Panie doktorze kochany – kobieta złapała go za rękaw – to dobre chłopaki, ciche, porządne. Nie piją, nie palą, z polecenia. Ja byle kogo na kwatery nie biorę, nie bój się pan. Rodzinę mam przecież piętro niżej. Córkę ledwo po trzydziestce i wnusię. Przecież nie sprowadzałabym do domu jakichś zbirów, co pokrzywdzić by dziecko mogli! Moje chłopaki harują całymi dniami, do domu schodzą tylko na nocki. Ot, upichcą coś wieczorem na ząb i już się kładą, zmarnowane robotą. Sił na amory by nie mieli, a jakby nawet, to przecież pogonię, jak do młodej dziewczyny, którą mi pan doktor pod opiekę odda, zaczną się dobierać. U mnie będzie bezpieczna, jak u mamy!

„Od matki to ona akurat musiała uciekać", przemknęło Kochanowskiemu przez myśl. „Może to i dobry pomysł, by Weronika zamieszkała na jednym piętrze z trzema góralami? Jeśli to porządni ludzie, potraktują Nisię jak córkę albo siostrę, a że ludzie gór są honorowi i charakterni… Zadrę rozerwą gołymi rękami, gdy znów po nią sięgnie".

To się mogło udać!

– Ja zamek w drzwiach zamontuję – dodała kobieta. – Żeby się asystentka wygodniej czuła, a za pokój niewiele policzę. Tyle co nic.

Tu rzuciła kwotę, która znowu taka niska nie była, ale Kochanowski przyjął ją bez mrugnięcia okiem. Weronika nie powinna dłużej mieszkać w lecznicy. Ta stancja spadła jej, i lekarzom też, jak z nieba.

– Tylko, panie doktorze… – Kobieta nagle się zawahała i musiała zapytać: – Ona spokojna aby? Nie żadna tam latawica?

– Bardzo spokojna – odparł i dodał w myślach: „Aż za spokojna. Naprawdę mogłaby od czasu do czasu zaszaleć, pójść na dyskotekę chociażby, bo na zakupy kasy za bardzo nie ma".

Ale Weronika nie opuszczała lecznicy. Po wizycie Zadry nieco odżyła, zupełnie jakby wstąpiła w nią nowa nadzieja, zaczęła asystować Piotrowi przy zabiegach, jak dawniej uczył ją zawodu lekarza, lecz iskry, z którą po raz pierwszy zawitała do lecznicy, już w dziewczynie nie było. Uśmiechała się rzadko. Nie śmiała nigdy. Niemal każdego ranka schodziła na dół z oczami błyszczącymi od łez. Widać należała do tych istot, co jak pokochają, to na całe życie…

– Przywiozę ją dzisiaj po pracy – rzekł. – Mam tylko jedną prośbę, pani Jadwigo: będę płacił połowę umówionej kwoty, Weronika drugą. I nigdy nie może się dowiedzieć, że w taki sposób jej pomagam. Pochodzi z biednej rodziny, a że to moje odległe kuzynostwo, chociaż w taki sposób staram się im pomóc. Są jednak bardzo honorowi. Gdyby wiedzieli…

– Rozumie się, panie doktorze. Ode mnie się nie dowiedzą. Dobry z pana człowiek. – Uśmiechnęła się do niego ciepło, teraz już zupełnie spokojna, że będzie „trzymać" kuzynkę doktora, a nie flamę. – Proszę przywieźć kuzyneczkę wieczorem. Wyszykuję pokoik jak się patrzy.

Zapłacił jej od razu za pierwszy miesiąc i wrócił do lecznicy. Nie zdążył jednak podzielić się z Weroniką dobrą wiadomością.

– Panie doktorze… – zaczął listonosz nieco zmieszany, gdy tylko Kochanowski wysiadł z samochodu i przywitał się uściskiem ręki. – Mam tu pismo z prokuratury do Weroniki Nocyk. Niech pan spojrzy, adres tutejszy, lecznicowy…

Piotr zmarszczył brwi. Domyślał się, czego prokurator może chcieć od Weroniki i najchętniej odpowiedziałby, że to pomyłka, przecież w lecznicy nie może mieszkać żadna Nocykówna. Ale listonosz nieraz widział dziewczynę, jak w ładnym, zielonym fartuszku krząta się po gabinecie czy zaprasza do środka pacjentów. Jej obecności nie da się ukryć, a gliny będą ją przecież ścigać, jeśli nie stawi się na wezwanie.

Było coś jeszcze: Weronika stanowczo zapowiedziała, że chce zeznawać w sprawie Helerta. Będzie miała okazję się wykazać.

– Zawołam ją. Odbierze pismo – odezwał się z wyraźną niechęcią.

On sam raz był przesłuchiwany w sprawie karnej. Żadna przyjemność, nawet jeśli jesteś jedynie świadkiem, nie podejrzanym.

Dziewczyna, zamiast się zmartwić czy zaniepokoić, wyraźnie się ucieszyła.

– Najgorsze jest czekanie – mówiła potem doktorowi w drodze na stancję, o czym ona jeszcze nie wiedziała. –

Miałam świadomość, że pismo wcześniej czy później przyjdzie i bałam się coraz bardziej. Jak ciężkie to oczekiwanie musi być dla Wiktora? Ja przynajmniej jestem wolna. I nie grozi mi więzienie – dodała ze smutkiem.

– Chcesz, żebym pojechał z tobą? – zapytał Kochanowski.

Oczy dziewczyny, przed chwilą przygaszone, pojaśniały wdzięcznością. I podziękowała w duchu dobremu Bogu za takiego przyjaciela. W pierwszym momencie chciała odpowiedzieć: „Nie ma takiej konieczności, dam sobie radę", ale poczuła zimny dreszcz, spływający po kręgosłupie. Nie była jednak taka dzielna, jak się jej wydawało.

– Pojadę – uciął doktor, nie czekając na odpowiedź.

Weronika uśmiechnęła się i rzekła z głębi serca:

– Dziękuję.

Piotr zastanowił się nie po raz pierwszy, czemu jest gotów uczynić tak wiele dla tej dziewczyny. Czym go ujęła, może rzuciła urok tymi zielonymi oczami?, iż nie dość, że od ładnych paru tygodni pozwala jej mieszkać w lecznicy, za chwilę będzie płacił połowę czynszu za stancję, to jeszcze gotów jest wozić ją do prokuratury czy sądu, byle tylko chronić Weronikę przed złem tego świata chociaż tak: będąc przy niej.

Spojrzał na swą podopieczną ukradkiem. Patrzyła zamyślona w okno samochodu. Miała ładną, miłą twarz, nieco za szczupłą, bo nadal niewiele jadła i była chuda jak śmierć na chorągwi, nos ozdobiony piegami, które dodawały jej uroku, ładnie wykrojone usta, nie za pełne, nie za wąskie, gęste, kasztanowe włosy, związane w kucyk, lecz najpiękniejsze w tej twarzy były duże, migdałokształtne oczy, czasem ciemne niczym toń jeziora, gdy się czymś martwiła, częściej jednak złoto-zielone, jak promień słońca, padający na listek brzozy.

Gdyby był młodszy o dekadę albo trochę więcej, mógłby się zakochać w Weronice, bez dwóch zdań. Teraz wzbudzała w nim czułość i opiekuńczość. Tylko tyle i aż tyle. Od czasu gdy opuścił rodzinny dom, był sam. Przygodnych znajomości zaliczył bez liku, ale w związku dłuższym niż kilka miesięcy nie był. Po prostu nie trafił jeszcze na tę jedyną, z którą chciałby budzić się co rano przez resztę życia. Weronika stała się dla niego namiastką rodziny. Młodszą siostrą, której nigdy nie miał. Troszczył się więc o dziewczynę, gotów był łożyć na jej utrzymanie, dopóki mu na to pozwoli, niczego – no może oprócz przyjaźni – od Weroniki nie oczekiwał i było mu z tym dobrze.

– Jesteśmy na miejscu – mruknął, zatrzymując się pod szarą, dwupiętrową kostką.

– Mamy tutaj pacjenta?

– Nie. Stancję dla ciebie.

Spojrzała na niego z niedowierzaniem. W oczach ponownie rozbłysła radość. Gdy za kwadrans będą wracać do samochodu, będzie szczęśliwa jeszcze bardziej. Pokój okaże się przytulny, jasny i czysty, łazienka niewielka, ale tylko do jej użytku, zaś trzech górali, którzy wychyną ze swoich kwater, ciekawi nowej współlokatorki, od razu polubi. Sympatyczni, uśmiechnięci i trochę nieśmiali, otoczą Weronikę braterską opieką, tak jak przewidziała pani Jadwiga.

Będzie dobrze, doktor Kochanowski nie miał w tej chwili wątpliwości.

Prokurator nie był specjalnie ciekaw, co dziewczyna ma do powiedzenia. Wysłuchał jej zeznań, owszem, nakazał przeczytać protokół, podpisać i to by było na tyle. Jeśli obawiała się, że będzie ją maglował przez pół dnia, próbował wymusić półprawdy niekorzystne dla Wiktora, czy chociaż nakłonić ją, by nie zeznawała podczas procesu jako świadek obrony, bo przecież nie oskarżenia, to bardzo się zdziwiła.

Mężczyzna sprawiał wrażenie śmiertelnie znudzonego. Zamiast walczyć z przestępczością zorganizowaną i na długie lata wsadzać za kraty bandziorów z mafii, musiał wysłuchiwać łzawych opowieści małolaty, najwyraźniej zakochanej w złodzieju samochodów. Przez cały ten czas coś jednak nie dawało mu spokoju. Gdzieś słyszał to nazwisko… I nie chodziło o Helerta. Bynajmniej. Wreszcie, gdy rzucił okiem na podpis dziewczyny, przypomniał sobie:

– Czy ty przypadkiem nie jesteś córką Marzeny Nocyk?

Weronikę zmroziło, co on natychmiast zauważył. Nawet nie próbowała skłamać, że skąd, zwykła zbieżność nazwisk. Umknęła wzrokiem i odparła, pilnując, by głos brzmiał w miarę ciepło:

– Tak, to moja mama.

– A czy ty nie powinnaś czasem mieszkać w rodzinnym domu, razem z matką, zamiast... jak to szło?, „Lecznica dla Zwierząt, ulica Mehoffera"?

– Mieszkam na stancji, żeby mieć bliżej do szkoły. W lecznicy jestem wolontariuszką – wyjaśniła pospiesznie. – Mogę już iść? Przyjaciel, który mnie przywiózł, musi wracać do pracy.

Prokurator przyglądał się dziewczynie lekko zmrużonymi oczami. Nie miał powodu, by jej nie wierzyć, tak jak nie powinien w ogóle zawracać sobie głowy córką Marzeny. Ta była znana w środowisku jako wredna suka, taka, co kolegę po fachu z chęcią utopi w szklance wody, a jeszcze chętniej podkabluje, gdy tylko znajdzie na niego haka. Córcia pewnie pójdzie w ślady matki, chociaż dziś sprawiała jeszcze sympatyczne wrażenie. I bardzo się pilnowała, by nie powiedzieć złego słowa o swoim chłopaku, młodocianym przestępcy, Wiktorze Helercie.

– Zapisz tutaj, na odwrocie protokołu, adres stancji – odezwał się tonem nieznoszącym sprzeciwu. – Skoro jesteś taka skora do zeznań, sąd musi wiedzieć, gdzie cię szukać.

– Kiedy Wiktor stanie przed sądem? – odważyła się zapytać.

Trochę czytała na temat postępowania karnego i wiedziała, że im szybciej przeniosą go z aresztu śledczego do więzienia, tym lepiej. W zakładzie karnym miał przynajmniej prawo do odwiedzin, do korespondencji i przepustek. Miał dostęp do biblioteki i mógł pracować. W areszcie zaś… mógł jedynie czekać na rozprawę. I bronić się przed bandziorami, z którymi go zamknęli. Weronice serce ściskało się z żalu i ze strachu o chłopaka, gdy tylko znajdowała nowe informacje o tym strasznym miejscu.

– Wcześniej albo później – prokurator zbył jej pytanie i wskazał drzwi końcówką długopisu.

Audiencja dobiegła końca. Weronika mogła wrócić do swojego świata, który nagle wydał się jej jasny, spokojny i bezpieczny.

Tamten odczekał, aż za dziewczyną zamkną się drzwi, po czym sięgnął po wizytownik, czegoś przez chwilę szukał, rzucił na biurko biały prostokąt, wybrał numer, a gdy po drugiej stronie usłyszał zachrypnięte „Haloo", zaczął:

– Cześć, Marzena, Karol Zimniak z tej strony. Przed chwilą była u mnie na przesłuchaniu twoja córcia. Tak, Weronika. Nie mieszka z tobą? Odesłałaś ją na stancję? Ach… sprawiała kłopoty. Rozumiem. – Uśmiechnął się krzywo. – Adres tej stancji? Niestety nie mam – odparł, patrząc na ładne, równe litery, nakreślone dłonią Weroniki, układające się w nazwę ulicy. – Nie, Marzenko, jej też już tutaj nie ma. Myślałem, że wiesz, gdzie mieszka twoja nastoletnia pociecha. Sprawiała wrażenie całkiem miłej i ułożonej, a ty mówisz: kłopoty. Cóż… chciałem się tylko upewnić, że mała nie uciekła z domu. Nie? Całe szczęście. Będę dziś spał spokojnie. Miłego dnia, Marzenko. Pozdrów małżonka. Chyba, że on też na stancji.

Rozłączył się i zaśmiał złośliwie. Lubił wkurzać tych, których nie lubił...

– I jak było? – zapytał Kochanowski, który na czas przesłuchania został w samochodzie.

– Nie tak strasznie. – Weronika próbowała się uśmiechnąć, ale słaby jej wyszedł ten uśmiech. – On, ten prokurator, zna moją matkę. Zresztą... w tym środowisku oni wszyscy się pewnie znają. Co gorsza, zna też mój nowy adres.

– Zdążyłaś go już podać Zadrze, jak się domyślam – zauważył z lekką przyganą – więc co za różnica, że zna go też prokurator?

– Obiecałam Zadrze, że zawsze będzie wiedział, gdzie jestem.

– Nie musisz się tłumaczyć, Nika. Zastanawiam się tylko, komu bardziej zależy na podtrzymaniu kontaktu: temu sukinsynowi czy tobie.

– Robię to dla Wiktora! – oburzyła się.

Zmilczał.

Pismo z sądu, wzywające ją na rozprawę, również by do niej dotarło. Czy Zadra znał jej nowy adres, czy nie. Gdy tylko listonosz przyniósłby list do lecznicy, Weronika natychmiast by się o nim dowiedziała. Piotr próbował ją chronić przed facetem, który na jego oczach próbował dziewczynę skrzywdzić, skoro jednak ona sama rozdawała swój adres na prawo i lewo...

– Myślałam... miałam jakąś głupią, cichą nadzieję, że on tam będzie – odezwała się z żalem w głosie.

– Zadra?

– Wiktor! Pan doktor ma chyba obsesję na punkcie tamtego. Nie cierpię Zadry, nienawidzę go! I nie chcę o nim więcej mówić!

– Jak sobie życzysz. Podejrzany nie uczestniczy w przesłuchaniach u prokuratora – zmienił temat. Nie chciał się kłócić z Weroniką. Nie o Jana Zadrę.

– Wiem. Mimo to miałam nadzieję, że może go spotkam.

– Nadal go kochasz? – Piotr raczej stwierdził, niż zapytał.

Wzruszyła tylko ramionami. Przecież to było zrozumiałe.

„Recydywista i złodziej, a ty, naiwna dziewczynko, wciąż darzysz go szczenięcym uczuciem", miał to na końcu języka. „Dużo bym dał, żeby mnie ktoś kochał tak, jak ty Helerta. Szczęściarz z tego gnojka. Niegodny twojej miłości szczęściarz".

Dobrze, iż zatrzymał tę myśl dla siebie, bo Weronika jak nic wybuchnęłaby śmiechem. A potem zapytałaby doktora, czy chciałby się z tym szczęściarzem zamienić. Może na dzieciństwo? Albo na młodość? Czy też na miejsca?

Jakoś nie potrafimy docenić spokojnego życia, bez wielkich wzruszeń, niech tam, dopóki nie doświadczy nas kataklizmem, który obróci w pył ten znany nam do bólu, bezpieczny świat. Próbując go odbudować, wrócimy pamięcią do czasu sprzed apokalipsy i zdziwimy się, jak mogliśmy być tak głupi i go nie doceniać. Piotr Kochanowski był mądrym człowiekiem, umiał słuchać ludzi, widział niejedno nieszczęście, odznaczał się niezwykłą empatią, lecz nawet on popełniał błąd reszty ludzkości: nie cenił tak jak powinien tego, co ma, dopóki tego nie stracił.

Kiedyś przyjdzie mu zapłacić za ten błąd…

ROZDZIAŁ VII
WIKTOR

Przed wyjściem z radiowozu rozkuli go.

– Tylko bez numerów – ostrzegł go Zadra, który był przy nim od wyjścia z aresztu. – Kiwniesz palcem nie w tym kierunku, co trzeba, i... wiesz, że policja może użyć broni?

– W sądzie pełnym ludzi? – prychnął.

– Nie bądź taki mądry, Helert, bo przez ten sąd przeprowadzą cię jednak w bransoletkach, a w nich nie chcesz się zapewne pokazać swojej ukochanej.

Aż się zatrzymał. Spojrzał na Zadrę z niedowierzaniem. Weronika będzie na rozprawie?!

– Coś taki zdziwiony? – Ten uśmiechnął się krzywo. – Jest świadkiem.

– Miałeś trzymać ją od tego szajsu z daleka! – wycedził chłopak w odpowiedzi.

I w następnej chwili docenił radę Zadry, by na rozprawę przyzwoicie się ubrać. Oddał mu resztę pieniędzy z prośbą o niedrogi garnitur. Teraz wyglądał może nie jak wymuskany maturzysta w dzień egzaminu, ale na pewno nie jak bandyta prosto z więzienia. Zapadłby się pod ziemię, gdyby Weronika ujrzała go w burych drelichach, a właśnie tak wcześniej zamierzał wystąpić, żeby pokazać światu, gdzie i jak głęboko wszystkich ma.

Z sercem, tłukącym się w piersi tak silnie, jakby chciało się wyrwać i pobiec przodem, ruszył ponurymi korytarzami sądu, mając po obu bokach policjantów, za sobą Zadrę.

I nagle… była tam! Siedziała pod salą, blada z przejęcia, ubrana w grzeczną, czarną sukienkę z białym kołnierzykiem i tak śliczna w tej sukience… tak niewinna… Chłopakowi łzy stanęły w oczach.

Strasznie chciałby cofnąć czas. Do dnia, w którym patrzył jak ojciec ciska matką o ścianę. Tym razem odwróciłby się i wyszedł. Tak po prostu. Niech się oboje pozabijają… Jeśli jednak nie mógłby tego zrobić, nie spotkałby się powtórnie z mendą, która go spiła i nafaszerowała jakimś świństwem, nie ukradłby pieprzonego mustanga i teraz odprowadzałby swoją Nisię do szkoły, zamiast patrzeć, jak siedzi pod salą rozpraw, gdzie za chwilę skażą go na ładnych parę lat.

Parszywy los, podłe życie.

„Kocham cię", powtarzał w myśli, patrząc na dziewczynę. Po prostu nie mógł oderwać od niej wzroku. Było to boleśniejsze, niż gdyby miał jej nie ujrzeć wcale. Świadomość, że mają tylko tę krótką chwilę na sądowym korytarzu i ich drogi znów się rozejdą – to przyrzekł Zadrze, jeśli Weronika ma pozostać bezpieczna – po prostu łamała Wiktorowi i tak poranione serce.

Weronika wstała powoli. Zrobiła krok w jego kierunku, ale doktor, który był z nią – co on właściwie tu robi?, dlaczego chwyta dziewczynę za rękę, jak swoją własność?! – zatrzymał ją w pół kroku.

Wiktor poczuł, jak miejsce miłości zajmuje gniew, który powoli zamienia się w zimną nienawiść. Z Zadrą mógł kiedyś zawalczyć o Weronikę, nie znosiła go podobnie jak on, ale z tym przystojnym doktorkiem, który tak troskliwie się nią zajmuje? Porządnym obywatelem, co nigdy nie złamał nawet ograniczenia prędkości? „Nie masz szans, człowieku. Najmniejszych", zaskowyczało chłopakowi w duszy.

Odwrócił wzrok i od niego, i od niej. Wszedł do sali, matce i ojcu nie poświęcając nawet połowy spojrzenia. Ciężkie drzwi zamknęły się za nim. Gdy otworzą się powtórnie, on, Wiktor Helert będzie już nie oskarżonym, a skazanym za rozbój, kradzież, prowadzenie pod wpływem alkoholu oraz środków odurzających i jeszcze parę innych drobiazgów, że o złamaniu zasad zwolnienia warunkowego nie wspomnieć. Parszywy los...

– Kim jest dla świadka podejrzany? – padło pierwsze pytanie.

Weronika, która przed chwilą, na uginających się ze strachu nogach weszła do sali i stanęła za barierką dla świadków, spojrzała na Wiktora. Siedział w ławce dla oskarżonych. Wzrok wbił w dłonie zaciśnięte tak silnie, aż pobielały mu palce.

– Jest... moim narzeczonym – wyszeptała.

W tym momencie Wiktor poderwał głowę i spojrzał na nią z niedowierzaniem.

– Proszę głośniej – usłyszała surowy ton sędziego.

– Jest moim narzeczonym – powtórzyła dobitnie, a w myślach dodała: „Kocham cię, Wiktor". Musiał wyczytać to w jej oczach, bo przez jego surową, wychudłą twarz przemknął cień uśmiechu.

– Jak długo świadek zna oskarżonego?

– Od siódmego roku życia. – „Pamiętasz?", pytały zielone oczy.

Pytania padały jedno po drugim. O to, co ich łączyło, czy Wiktor bywał w stosunku do niej agresywny, czy nigdy nie próbował jej uderzyć. Odpowiadała pewnie, jasnym głosem, nie wahając się ani przez chwilę. Wydarzenia tamtej nocy, gdy chwycił ją za ramiona i potrząsnął, mało jej głowa nie odpadła, po prostu wyrzuciła z pamięci. Nie zamierzała go pogrążać ani jednym słowem.

Nie, Wiktor nie prowadził tego samochodu. Tak, siedział za kierownicą, ale samochód stał, gdy go ujrzała. Nie znajdował się w ruchu. Owszem, Wiktor był pijany, ale picie nie jest chyba karalne?

Tutaj sędzia ostro ją usadził, radząc, by odpowiadała na pytania, a nie zadawała je.

Potulnie przeprosiła.

Na jej pierwsze słowa chłopak poderwał głowę. Oto jedyna istota, która się za nim ujmuje. Ojciec z matką, przesłuchiwani jako świadkowie oskarżenia, pluli na niego przez dobre pół godziny, w ich oczach był bandytą i degeneratem, agresywnym, niewdzięcznym bękartem, od najmłodszych lat sprawiającym problemy. Jak ciężko... jak strasznie ciężko było tego słuchać... Wbił wzrok w swoje dłonie, zaciśnięte z całych sił, przygryzł wargi do krwi i milczał, licząc od stu do zera, dotąd aż jedno i drugie skończyło wylewać na niego pomyje.

Dwóch następnych – menele, których widział pierwszy raz w życiu – opowiadało, jak to najpierw się z nimi szarpał, potem włamał się do samochodu i odjechał, chociaż ledwo trzymał się na nogach, tak był spity i naćpany. Nie miał pojęcia, czy mówią prawdę, nie pamiętał nic z tego, nad czym się rozwodzili. Milczał więc, czując jak pętla zaciska się coraz silniej na jego szyi. Po tym, co dziś usłyszał, sam siebie zamknąłby na ładnych kilka lat.

Dopiero Weronika, jego najmilsza Nisia, Nisiunia, Nisieńka, na przekór całemu światu przeszła przez barykadę i stanęła po stronie Wiktora. Kochał ją w tej chwili tak, że aż bolało. Był jej wdzięczny, oczywiście, lecz nade wszystko kochał. Całym sercem. Tę miłość musiał mieć w spojrzeniu, które ośmielił się jej posłać, bo... nagły ruch z lewej strony, tam, gdzie w ławkach dla publiczności siedział Zadra, przykuł uwagę chłopaka. Natrafił na zimny wzrok lekko zmrużonych oczu mężczyzny, który ostrzegał.

Przypominał. „Jeśli nie dotrzymasz umowy, Weronice może stać się krzywda, a tego obaj nie chcemy, prawda, Wiktor?".

Chłopak pospiesznie wbił spojrzenie w splecione dłonie.

Zadra uśmiechnął się ledwo zauważalnie. Dobrze szczeniaka wytresował...

Przesłuchanie zbliżało się do końca. Prokurator nie miał pytań – marzył o przerwie na papierosa, obrońca z urzędu też nie. Dziewczyna już miała posłać Wiktorowi pożegnalne spojrzenie, odwrócić się i wyjść, gdy nagle... pewne wspomnienie, najwidoczniej zepchnięte w podświadomość, rozbłysło w jej umyśle.

– To był anglik – rzekła.

– Słucham? – Sędzia, który przekładał papiery z jednej sterty na drugą, spojrzał na dziewczynę, zaskoczony.

– Ten samochód. To był anglik! – powtórzyła i nagle zaczęła wyrzucać z siebie potok słów, tak szybko, żeby nikt nie zdołał jej przerwać, dopóki nie skończy: – Było ciemno, podbiegłam do okna od strony kierowcy, ale kierownica była po drugiej stronie, obiegłam samochód, razem z doktorem wyciągnęliśmy nieprzytomnego Wiktora na zewnątrz. W takim stanie nie mógł prowadzić! To po prostu niemożliwe! Nie doszedłby do tego samochodu, co więc mówić o uruchomieniu go, odnalezieniu drogi do domu... Ale to był anglik! Świadkowie, którzy widzieli, jak Wiktor wsiada do samochodu, mogli widzieć, jak siada na miejscu pasażera, nie kierowcy! Co za problem przeciągnąć go potem za kierownicę, wytrzeć własne ślady palców, zacisnąć na kierownicy jego dłonie i to wszystko upozorować?! Wiktor nie jest złodziejem!

– Dosyć! – przerwał jej ostro sędzia. – Świadka nieco poniosło! Proszę nie wprowadzać tego do protokołu – zwrócił się do kobiety, która próbowała zanotować słowa Weroniki.

– Czy to, co powiedziałam, nie ma znaczenia? Ktoś wrobił niewinnego…

– Proszę wyprowadzić świadka. – Sędzia skinął na strażnika, który natychmiast przyskoczył do dziewczyny, ujął ją delikatnie, acz stanowczo za ramię, i pociągnął do wyjścia.

Zdążyła raz jeszcze spojrzeć na Wiktora. Jeśli liczyła, że on pożegna ją choć cieniem uśmiechu, skinięciem głowy, jednym spojrzeniem, na miłość boską!, musiała się rozczarować. Nie podniósł nawet głowy. Wyszła z sali zawiedziona i pełna żalu.

Nie widziała, jak po zapadniętych policzkach chłopaka płyną łzy i skapują na zaciśnięte do bólu ręce.

Stała na korytarzu, drżąc na całym ciele. Powróciły słowa, które wykrzyczała tam, w środku. Teraz wydawało się jej to takie jasne! Wrobili go! Ktoś – kto, do cholery, i po co?! – zadał sobie sporo trudu, by Wiktor trafił do więzienia. Aż tak zaszedł za skórę swoim przełożonym? Może jakiś bydlak z poprawczaka chciał się na nim zemścić?

Nie było to zbyt skomplikowane: każde wykroczenie, popełnione na zwolnieniu warunkowym, może okazać się biletem w jedną stronę, za kratki. Kradzież samochodu, w nocy, z pustej ulicy, gdzie świadkami mogli być ci, co powinni, gwarantowała Wiktorowi kilka lat odsiadki. Dziewczyna aż dygotała z gniewu i bezradności. Tak łatwo jest złamać komuś życie...

– Jak poszło? – usłyszała głos doktora.

– Chyba podpadłam sędziemu. – Podniosła na niego pociemniałe z frustracji oczy. – Wykrzyczałam swoje podejrzenia, że Wiktor został we wszystko wrobiony i sędzia kazał mnie wyrzucić. Jestem więc. – Rozłożyła ręce, jeszcze nie do końca panując nad tym, co robi i mówi.

– Widzę, Nisia – odparł ciepło Kochanowski. – Możemy wracać do domu.

– A on? Poczekajmy, aż będzie wychodził. – Złożyła błagalnie dłonie. Tak bardzo chciała raz jeszcze zobaczyć Wiktora. Może tutaj, na korytarzu będą mogli zamienić choć dwa słowa? – Czy... mogłam Wiktorowi zaszkodzić tym, co odkryłam? Sędzia był naprawdę wkurzony.

– Nie chcę cię pocieszać, czy raczej martwić, ale ta rozprawa, to czysta formalność. Mogę się założyć, że wyrok zapadł wczoraj czy dziś rano, jest już wydrukowany, łącznie z uzasadnieniem i to, co powiedziałaś, nie ma żadnego znaczenia.

– Ale... Jak to? Przecież rozprawa jeszcze trwa!

– Sorry, dziecko. Witaj w polskim szambie. Nie bez przyczyny nazywają je Bezmiarem Niesprawiedliwości. Mieli obowiązek przesłuchać świadków, ale teraz pójdzie szybko. Raz dwa i ogłoszą wyrok, który...

Urwał, bo Weronika ruszyła nagle w kierunku dwojga ludzi, nie oglądając się na Kochanowskiego. Stanęła przed matką i ojcem Wiktora. Ta pierwsza zmieszała się, ten drugi zmierzył dziewczynę ponurym spojrzeniem. Miał długą bliznę na łysej czaszce, pamiątkę po dniu, gdy jego syn wreszcie wymierzył sprawiedliwość. Weronice nie było żal łachudry, który katował żonę i dziecko. Żal jej było tego dziecka.

– Gardzę wami – wysyczała z taką nienawiścią, aż zakłuło ją w sercu. – Gardzę matką, co posłała dziecko do więzienia. Gardzę bandytą, który to dziecko okładał pasem. Nie jesteście godni być jego rodzicami. Gardzę…

Mężczyzna odepchnął ją z drogi. Kobieta pospieszyła za nim.

– Zasługujesz na to, żeby cię lał! – krzyknęła jeszcze Weronika. Przez tych dwoje ona straciła swoją miłość, a Wiktor szansę na normalne życie. I kilka lat, których nikt mu nie zwróci. Tak strasznie było jego żal…

Drzwi sali rozpraw otworzyły się na całą szerokość. Pierwszy wyszedł Zadra. Mijając dziewczynę rzucił bez uśmiechu:

– Pięć lat.

Poczuła to jak uderzenie w splot słoneczny. Zabrakło jej oddechu. Pięć lat?! Nie trzy, a pięć?! Dlaczego?!

Dwóch policjantów wyprowadziło śmiertelnie bladego chłopaka. Sprawiał wrażenie, jakby zaraz miał upaść.

– Wiktor… – szepnęła przez łzy.

Podniósł na nią oczy zaszczutego zwierzęcia. I odszedł, popychany przez eskortę.

ROZDZIAŁ VIII
DOKTOR KOCHANOWSKI

Przez pierwsze tygodnie po rozprawie wypatrywała listonosza, z nadzieją, że doczeka się w końcu listu od Wiktora. Dni mijały, listonosz na jej widok uśmiechał się i przekazywał listy, owszem, ale z Londynu dla Jadwigi, od jej syna. Czasem rodzina albo narzeczone pisały do któregoś z nowych przyjaciół Weroniki, górali. Jej nadzieja nikła z dnia na dzień. Wiktor, który w zakładzie karnym miał prawo do korespondencji, nie chciał widać utrzymywać z dziewczyną kontaktów.

Nie rozumiała, dlaczego. Wszelkie przysięgi, jakie składała Janowi Zadrze, wywietrzały Weronice z głowy w chwili, gdy ujrzała Wiktora na sądowym korytarzu. Kochała tego chłopaka i nic nie mogła na to poradzić. Była gotowa wybaczyć mu wszystko, tamtą noc, to jak oskarżył ją o zdradę, a później zwyzywał od najgorszych, i pamiętać tylko piękne, dobre chwile, gdy mieszkali razem w chatce przy stajni, opiekując się zwierzętami i sobą nawzajem. Tak. Tylko to chciała zachować w sercu.

Wreszcie po miesiącu od rozprawy sięgnęła po wizytówkę Zadry i wybrała numer do „przyjaciela". Odebrał natychmiast, zupełnie jakby czekał na ten telefon.

– Nika, dobrze cię słyszeć. Co u ciebie? – Wyraźnie się ucieszył. Ona była nieco bardziej powściągliwa. Nie lubiła tego faceta i nie zamierzała mu się zwierzać.

– Chciałabym zobaczyć się z Wiktorem. Pan wie, gdzie go przenieśli, prawda?

Oczywiście, że wiedział. Pytanie, czy chciał się tą wiedzą z Weroniką dzielić. Czyżby znów miała szukać Wiktora po całej Polsce?

– Umawialiśmy się chyba, że z wami koniec – odparł zupełnie innym tonem, niż przed chwilą.

– Tak, wiem, tylko... Chciałabym... Ja... – Nie miała argumentów. Mogła powiedzieć po prostu, że chce się widzieć z mężczyzną, którego kocha, ale podejrzewała, że tego Zadra by nie zdzierżył. – Chcę wysłać Wiktorowi komputer, którym tak bardzo się cieszył – dokończyła pokornie. „Tak bardzo i tak krótko", powinna dodać.

– O, to świetny pomysł! – W głosie Zadry zabrzmiało prawdziwe zainteresowanie. – Nie wiedziałem, że Helert interesuje się komputerami.

– Kocha swojego pececika – podchwyciła, znów pełna nadziei. – Uczył się, jak go programować. Dobrze, żeby miał taką możliwość również teraz, w więzieniu. Da mi pan jego adres?

– Dałbym, Nika, ale Wiktor nie chce cię widzieć – uciął Zadra, a ona poczuła te słowa jak uderzenie. Aż łzy zakręciły jej się w oczach. – Widzisz, obwinia cię za wyższy wyrok.

– Co?! – No tego się nie spodziewała. – J-jak to…?! Przecież właśnie ja podsunęłam sądowi myśl, że Wiktora wrobili w tę kradzież!

– Ty sędziego jedynie wkurzyłaś, Nika, sorry za brutalną prawdę. Zaczęłaś wykrzykiwać te swoje teorie spiskowe, aż musieli cię usuwać z sali. To Wiktorowi nie pomogło. Wierz mi.

– Ale… nie mogło wpłynąć na wysokość wyroku! – Chciało jej się płakać. Krzyczeć i przeklinać. Na własną głupotę, jeśli rzeczywiście „dzięki" niej Wiktor posiedzi dwa lata dłużej, przede wszystkim.

Usiadła ciężko na łóżku w swoim pokoiku i w ciszy łykała łzy.

– Nie wiem, Nisia – odezwał się miękko Zadra. – Byłem pewien, że jedynie odwieszą mu wyrok, posiedzi trzy lata i wyjdzie. Skoro dla mnie piątka była zaskoczeniem, wyobrażasz sobie, jak zdruzgotany jest Wiktor?

Kiwnęła jedynie głową, choć Zadra nie mógł tego widzieć. Słowa nie przechodziły jej przez gardło.

– Zrozum jego żal do ciebie i po prostu odpuść. Może kiedyś mu przejdzie i sam poprosi, byś go odwiedziła, ale dziś nie może nawet o tobie myśleć bez gniewu, co dopiero na ciebie patrzeć... Jednak ten komputer to dobry pomysł. Nie przepuszczą go w paczce dla osadzonego, nie ma szans, ale mogłabyś podarować go więziennej bibliotece, co? Wiktor tam mógłby na nim pracować.

– Dobrze. Wyślę do biblioteki – wyszeptała przez łzy.

– Może lepiej na mój adres? Masz go na wizytówce...

– I tak się dowiem, gdzie Wiktora trzymają! – wykrzyknęła. Rozpacz nagle zmieniła się w dziki gniew. I na Zadrę, i na Helerta. – Jeśli będę chciała, dowiem się!

– Oczywiście. Nie zamierzałem tego przed tobą ukrywać. Po co niby miałbym to robić? – Ech, ta zwodnicza łagodność w głosie człowieka podłego i wyrachowanego. Ech, ta naiwność siedemnastoletniej dziewczyny, która każe temu człowiekowi wierzyć. – Wiktor siedzi we Wrocławiu. Jeśli będzie się dobrze sprawował, nie będzie mu tam źle. Jednak znając jego charakterek... – Zadra zawiesił głos.

– Obiecał pan, że pod pana opieką Wiktor będzie bezpieczny – w jej głosie zabrzmiała rezygnacja.

– Pod pewnym warunkiem. Pamiętasz?

Przytaknęła. Powoli zaczynała się godzić z faktem, że nie są sobie z Wiktorem pisani. Skoro on nie chce jej znać, może... naprawdę pora odpuścić? Nie szukać z nim kontaktu, nie czekać na list, na jakąkolwiek wiadomość? Po prostu dać Wiktorowi spokój?

Gdyby Zadra mógł słyszeć jej myśli, przyklasnąłby z radością i satysfakcją. Od początku właśnie o to mu chodziło: trzymać tych dwoje na odległość, zabić tę ich durną, szczeniacką miłość. Wiktor jeszcze dzisiaj usłyszy, że Weronika nie chce go znać, nie wybiera się w odwiedziny, nie będzie pisać listów, nie zadzwoni. Weronika zaś... Zanim poradzi sobie z poczuciem winy, że zafundowała ukochanemu dodatkowe dwa lata odsiadki, może się odkocha. Całe szczęście, że zadzwoniła najpierw do niego, Zadry. Od Wiktora bowiem usłyszałaby coś odwrotnego.

Tak oto „przyjaciel" rozegrał ich do końca.

Rozmowa z Zadrą zmieniła wszystko. Uwierzyłam w każde słowo tego gada, bo każde było wiarygodne. Przed rozprawą zapewniał mnie, że Wiktorowi odwieszą po prostu karę. Byłam o tym przekonana, Wiktor zapewne również. Mój wyskok przed sędzią mógł wpłynąć na wyrok? Wydawało mi się, że tak. Wiktor mógł mnie o to obwiniać? Jak najbardziej... Pamiętałam, jak nie obdarzył mnie nawet połową spojrzenia, gdy wychodziłam z sali po przesłuchaniu. Jego widok – pokonanego młodego mężczyzny, który siedzi ze zwieszoną głową między dwoma strażnikami – wiele razy prześladował mnie w snach. Gdy Zadra potwierdził moje obawy – „Wiktor nie chce cię znać!" – pozostało jedno: wyleczyć się z tej miłości. Zapomnieć? Nie było takiej możliwości, ale pokochać kogoś innego? Tak. Przyszło mi to łatwiej, niż chciałabym się przyznać.

Trzej górale, Jacek, Józek i Janek, bracia z Podkarpacia, jak o sobie mówili, otoczyli Weronikę czułą, braterską opieką od pierwszego dnia, kiedy stanęła przed rosłymi jak dąb chłopami, starszymi od niej o pięć, osiem i dziesięć lat i wydukała:

– Jestem Weronika. Będę mieszkała na tym samym piętrze, co panowie i prosiłabym…

– Nie panuj nam, serdeńko – wpadł dziewczynie w słowo najstarszy, Janek, jak się następnie przedstawił. Wyciągnął do niej wielką jak bochen chleba rękę, ujął delikatnie jej szczupłą dłoń i potrząsnął lekko, jakby się bał, że od większego wstrząsu filigranowa dziewczyna gotowa się rozsypać.

– Chciałabym prosić, żebyście nie wchodzili do mojego pokoju bez zaproszenia – odważyła się raz jeszcze.

– Weronka, za kogo nas masz?! – obruszył się drugi w kolejności, Jacek. – My może proste chłopy, ale zasady znamy. To twój dom, to nasz, tu, pośrodku korytarza jest cienka, czerwona linia. Bez zaproszenia z buciorami się do siebie nie ładujemy, tak?

No tak. Gorliwie pokiwała głową. O to jej właśnie chodziło. Józek, najmłodszy, nie odezwał się słowem, z natury cichy i małomówny. Stał za plecami starszego brata, potakiwał wszystkiemu, co ten mówi i wpatrywał się w dziewczynę urzeczonym wzrokiem…

Wprawdzie łazienkę miała własną, za co dziękowała losowi i pani Jadwidze, ale kuchnię wspólną z braćmi. Tam zaczęli spotykać się na śniadaniach, ona przed wyjściem do szkoły, oni przed kolejnym dniem ciężkiej pracy na budowie. Tam zasiadali do kolacji. I tam właśnie zaczęła się ich wielka przyjaźń.

Już pierwszego wieczoru, gdy Weronika weszła do kuchni, głodna jak wilk po całym dniu zajęć, bracia poczęstowali ją rosołem, pichconym przez Józka od godziny.

Dziewczyna wzięła do ust łyżkę zupy i… zmusiła się, by przełknąć. Była ohydna.

– Nie smakuje? – domyślił się domorosły kucharz, który został nim na polecenie starszego brata, bynajmniej nie z powołania.

Nie chcąc go urazić, zaprzeczyła, ale trudno było jej przełknąć następny łyk.

Jacek, patrząc na jej nieszczęśliwą minę, roześmiał się i rzekł:

– Co tu kryć, Józiu, rosołek naszej świętej pamięci mamy to nie jest.

– Mogłabym ugotować coś z mojego przepisu – odezwała się nieśmiało Weronika. – Na pewno nie dorównam waszej mamie, ale Wikt… komuś, z kim kiedyś mieszkałam, smakowało.

Okazało się to rozwiązaniem idealnym: Weronika zaczęła gotować dla nich obiady, pyszne domowe zupy, schabowe z zasmażanymi buraczkami, bitki, gołąbki i pierogi, oni zaś całym tym dobrem dzielili się z dziewczyną. Nie chodziła już głodna. Doktor Kochanowski po kilku tygodniach zauważył, że jego podopieczna zaczyna wyglądać jak człowiek, a nie wychudzone dziecko wojny.

Życie również stało się spokojniejsze: Weronika rano szła do szkoły, po południu zajmowała się pracą zarobkową, wieczorem gotowała obiad na następny dzień, później szła do siebie i siedziała nad książkami dotąd, aż zmorzył ją sen. Doktor Kochanowski powtarzał: „Musisz się uczyć, dziecko. Musisz skończyć liceum i dostać się na studia". Uczyła się więc najlepiej jak mogła.

Na stancję i skromne życie zarabiała chałupnictwem i przepisywaniem tekstów, jak wtedy, gdy mieszkała z Wiktorem. Czasem, gdy pochylała się nad maszyną, wpatrzona w śmigającą po materiale igłę, wydawało się, że wystarczy unieść głowę i oto spojrzy w pełne miłości, czarne źrenice chłopaka. W następnej chwili czar pryskał, Wiktor był setki kilometrów stąd, a w jego oczach nie znalazłaby ni odrobiny ciepła... Jeszcze niedawno oczy wypełniłyby się łzami na to wspomnienie, dziś czuła łagodny smutek. Wzdychała więc i wracała do pracy. Jej serce zaczęło się zabliźniać, gotowe, by znów pokochać.

Kiedy to się stało?

W pewien ciepły, październikowy wieczór. Właśnie tak.

– Pomożesz mi, córciu? – Doktor Lutek wszedł do gabinetu, gdzie Weronika pod strumieniem gorącej wody szorowała narzędzia chirurgiczne.

Przed chwilą skończyli z doktorem Kochanowskim trudny zabieg. Dziewczyna była zmęczona, ale szczęśliwa. Uwielbiała asystować przy operacjach. Kochała obserwować szczupłe, opalone dłonie chirurga, zręcznie manipulujące skalpelem, szczypcami i igłą. Po tylu wspólnych zabiegach rozumieli się bez słów. Nie musiał wydawać jej poleceń, czytała doktorowi w myślach. Cenił za to Weronikę i nie szczędził jej serdecznych pochwał, od których dziewczyna po prostu się rozpływała.

Nie raz i nie dwa razy przyłapała się na tym, że popatruje na doktora, gdy ten przebiera się do operacji w zielony fartuch. Ależ miał piękne ciało... Startował w zawodach pływackich, miał też uprawnienia ratownika wodnego, każdą wolną chwilę spędzał nad wodą albo na basenie, mógł więc poszczycić się nie tylko wspaniałą muskulaturą, ale też opalenizną, jakiej w solarium nie nabierzesz.

W przeciwieństwie do Wiktora, który miał ciemną karnację, krucze włosy i czarne oczy, Piotr Kochanowski, niebieskooki blondyn, wydawał się księciem światła i słońca.

Weronikę rozbrajało jego poczucie humoru, potrafił szczerze ją rozbawić, a gdy otaczał ją ramieniem, jak przed chwilą, całował we włosy i mruczał: – Moja mała, śliczna asystentka, spisała się dzisiaj wręcz genialnie – promieniała ze szczęścia. Uwielbiała doktora za te słowa, ale jeszcze bardziej za poczucie bezpieczeństwa, które jej dawał. Była mu bezgranicznie wdzięczna za opiekę, którą ją otoczył tu, w lecznicy, i tam, na stancji. Przecież dzięki niemu dostała pokój u pani Jadwigi w przemiłym sąsiedztwie Braci Jot.

Piotr Kochanowski nie musiał robić nic więcej, żeby zdobyć serce Weroniki. Nadal jednak było to niewinne zauroczenie, jakim młodziutka adeptka darzy swego mentora, nic więcej.

Aż do dziś.

Gdy doktor Lutek poprosił ją o pomoc przy następnym zabiegu, Weronika zgodziła się z radością. Wprawdzie godzina była późna, ona od rana nie miała nic w ustach, bo w ferworze pracy o jedzeniu po prostu zapomniała, chory zwierzak nie mógł jednak czekać, aż ona skonsumuje kanapki, popijając herbatką.

Rzuciła narzędzia, które z zapałem pucowała, przebrała się w czysty fartuch, wyszorowała ręce i była gotowa asystować starszemu doktorowi przy czyszczeniu i szyciu rozległej rany – z tym właśnie przyniesiono do lecznicy małego, czarnego kundelka.

Piesek usnął, Weronika zgrabnie wygoliła pole operacyjne, nakryła je jałowymi chustami, rozłożyła narzędzia i stanęła po drugiej stronie stołu, uważnie obserwując każdy ruch skalpela. Wciąż uczyła się zawodu, ale też musiała przewidzieć, czego w następnej chwili doktor może potrzebować.

– Gdzie nasz Piotruś? – zapytał dziewczyny.

– Odwiózł pacjenta do domu – odparła.

Doktor Kochanowski nie odmawiał takich przysług co ładniejszym klientkom. Czym się to kończyło, można się było jedynie domyślać.

– Powinien niedługo być. Chciał jeszcze zajrzeć do kotki po cesarce – dodała po chwili.

Oboje pochylili się nad raną, która nagle zaczęła silnie krwawić. Pies chodził z ropniem na szyi przez ładnych kilka dni, ale przez długą sierść właściciele tego nie zauważyli, dopiero dziś, gdy z rany zaczęła sączyć się odrażająca posoka, chwycili zwierzaka pod pachę i przybiegli po pomoc do lekarza.

– Jeszcze trochę i przeżarłoby mu szyję na wylot – mruknął Lutek, krzywiąc się niemiłosiernie. Krew – krwią, ale smród nadgniłych tkanek był trudny do zniesienia.

Weronika, zwykle odporna na takie widoki i wonie, zaczęła oddychać przez nos. Nie okaże słabości! – postanowiła. Nie zwymiotuje na pole operacyjne!

Lutek walczył z krwotokiem, ona z nudnościami, i w tym właśnie momencie wrócił Kochanowski. Stanął w drzwiach sali i zapytał ciekawie:

– Co robicie?

– Ropień. Nie czujesz? – odparł nieco opryskliwie starszy lekarz. Nie lubił zabiegów. Te były domeną młodszego. Dziś chciał się wykazać i masz ci los!...

– Czuję. I widzę, że nasza Weronika za chwilę odleci.

Dziewczyna żachnęła się.

Kochanowski nie spuszczał z niej uważnego spojrzenia.

Ona oderwała na chwilę wzrok od strug krwi i ropy i... poleciała w tył.

Pochwycił ją dosłownie w ostatniej chwili. W następnej roztrzaskałaby sobie głowę o kant szafki. Wyniósł dziewczynę biegiem na dwór, na świeże powietrze, położył na ławce, zdarł ze swoich ramion kurtkę i okrył nią szczupłe ciało podopiecznej. Powinien pobiec po wodę, ale nie mógł zostawić dziewczyny samej, zaczął więc rozcierać jej dłonie, mówiąc cicho, prosząco:

– Nisia, otwórz oczy. Budź się, księżniczko, tak… dobrze…

Powieki dziewczyny zadrgały, uniosła je, zdziwiona, co ona robi na ławce, zamiast stać przy stole operacyjnym w dusznej sali, próbowała usiąść, ale doktor przytrzymał ją za ramiona.

– Poleż jeszcze chwilę. Nie wstawaj. Przyniosę wodę. Jadłaś coś dzisiaj? Oczywiście nie? Powinienem przełożyć cię przez kolano i… – Urwał.

Doprawdy, straszenie dziewczyny biciem, po tym jak przed chwilą straciła przytomność, nie było dobrym pomysłem. Ale fakt, że omal nie zabiła się o szafkę… Ręce zaczęły mu lekko drżeć, więc raz jeszcze nakazał, by leżała spokojnie, po czym pobiegł do swojego gabinetu, gdzie oprócz wody mineralnej, miał pudełko czekoladek. I kwiatki. Od którejś z klientek dostał bukiet żonkili. Skąd je wzięła jesienią? Nie zastanawiał się.

Pomógł Weronice usiąść, podał jej butelkę z wodą. I czekoladkę. Na końcu żonkile. Upiła kilka łyków, przełknęła słodycz, ujęła kwiaty w dłoń i zaczęła cicho płakać. Łkanie wstrząsało drobnym ciałem, łzy płynęły po policzkach. Patrzyła na śliczne, żółte żonkile i nie potrafiła przestać.

Piotr niezdarnie, jakby miał lat naście, a nie trzydzieści parę, pogładził ją po włosach. I po policzku. Starł kciukiem słoną wilgoć. Ona uniosła nań oczy, jeszcze przed chwilą zielone, teraz niemal czarne i… to stało się właśnie w tej chwili.

Poczuła, że kocha tego mężczyznę. Bardzo.

ROZDZIAŁ IX

EWA

Jeśli chcesz skomplikować sobie życie, możesz skoczyć na nieco za długiej bungee albo ruszyć zimą na Mount Everest w adidaskach. Możesz także kochać dwóch mężczyzn, z których żadnego kochać się nie da. Ćwierć wieku temu uznałam widać, że moje życie stało się za proste i za spokojne. Miłość do chłopaka, który siedział w więzieniu i – jak twierdził „przyjaciel" – nie chciał mnie znać, najwyraźniej mi nie wystarczała. Musiałam zakochać się bez pamięci w drugim, który wprawdzie był tuż obok, spędzałam w jego towarzystwie całe dnie, mogłam się do niego przytulić, jak najbardziej, mogłam całować go w policzek na dzień dobry i do widzenia, ale nic więcej. Był równie daleki i równie niedostępny, co ten pierwszy.

Czy naprawdę nie mogłam obdarzyć uczuciem rówieśnika ze szkoły? Albo chociaż któregoś z Braci Jot? Byli oczywiście przyjaciółmi, tylko przyjaciółmi, ale ani im, ani mnie niczego nie brakowało! Z podobnej przyjaźni rozkwitła niejedna miłość, dlaczego więc moje głupie, poharatane serce wybrało doktora Kochanowskiego?!

Gdy wieki później rozmawiałam z nim o mojej szczeniackiej miłości – zorientował się, co jest na rzeczy bardzo szybko, pewnie tego wieczoru, gdy romantycznie wyniósł mnie zemdloną z gabinetu – stwierdził, że był obiektem zastępczym. Antidotum. Nie mogłam kochać Wiktora, więc przeniosłam to uczucie na pierwszego faceta, jaki się nawinął. Doktora Kochanowskiego.

Nawet dziś mógł się podobać każdej kobiecie. Nic nie stracił ze swej urody, był równie uroczy i uwodzicielski, co w dniu, w którym go poznałam.

Nie dziwię się tamtej Weroniczce. Naprawdę nie...

Ewa stanęła na progu lecznicy, czując w sercu dawne ciepło. Tutaj czas się zatrzymał. Ten sam szary, obdrapany budynek, ta sama poczekalnia, wyłożona poszarzałymi ze starości płytkami, ten sam zapach środków dezynfekcyjnych i strachu, ten sam doktor Kochanowski odziany w biały fartuch wychodzi za rozchichotaną klientką i mówi:

– Zapraszam następnego pacjen... Weronika?!

– Cześć, Piotruś.

Ewa uśmiechnęła się nieśmiało, nie bardzo wiedząc, czy jest mile widziana, czy wprost przeciwnie. W następnej chwili wyzbyła się wątpliwości, bo on zamknął ją w serdecznym uścisku, ucałował we włosy, jakby nadal miała te swoje siedemnaście lat, wymruczał „pościelowym" głosem:

– Nic się nie zmieniłaś, kochanie. Jesteś równie piękna, może nawet piękniejsza, niż... Kiedy widzieliśmy się ostatni raz?

Och, to wspomnienie było szczególnie żywe. I bardzo niechciane.

– Jak siedziałam tu, na tych schodkach, umierając z bólu, a ty skrobałeś cholerne ryby!

– Tak było. – Piotr pokiwał głową. – Miałem do wyboru: albo ci wlać, normalnie przełożyć cię przez kolano i spuścić manto, albo skrobać ryby. To pierwsze było niewykonalne z przyczyn wiadomych, pozostało to drugie.

Roześmiali się.

– Dziś przychodzisz z tym samym, co wtedy?

– Nieee, na szczęście nie.

– Cieszy mnie to, nawet nie wiesz, jak bardzo. – Położył ręce na ramionach kobiety, przyjrzał się jej uważnie. – Bez bajerów, naprawdę świetnie wyglądasz. Skąd ta opalenizna? Kanary?

– Australia.

Gwizdnął z uznaniem.

– Spełniłaś więc swoje wielkie marzenie?

– Spełniłam.

– A reszta? Jakub, rodzina, dziecko, dom?

Wreszcie... padło to imię. Piotr, jako jeden z nielicznych, wiedział jak naprawdę nazywa się jej wielka miłość.

Wzruszyła ramionami.

– Akurat te marzenia okazały się trudniejsze do zrealizowania, niż Australia – odparła, pilnując, by jej głos brzmiał na tyle obojętnie, na ile to możliwe.

Kochanowski znał ją jednak za dobrze. Widział ją szczęśliwie zakochaną, widział umierającą z rozpaczy po stracie Wiktora. Marzenia były dla Weroniki, dziś Ewy Kotowskiej, wszystkim. Tamten szczeniak, który złamał jej serce, również. Nawet jeśli przez krótki czas wmawiała sobie, że kocha jego, Piotra, nigdy nie miał wątpliwości, kto był i pozostanie jej prawdziwą miłością. I przekleństwem. Jakub Andrasz. Ni mniej, ni więcej.

To właśnie powiedział na głos.

– Ciii! – syknęła, rozglądając się na boki, jakby ktoś mógł ich podsłuchać. – Nikt nie może poznać tego nazwiska!

Uniósł brwi, lekko zdumiony.

– Nigdy się Jakuba jakoś nie wstydziłaś. Coś mnie ominęło?

– Sporo. Piszę o nim. O tobie zresztą też.

Ponownie zagwizdał. Kiedy się tego nauczył?

– Wydajesz autobiografię?

– Nie-autobiografię – sprostowała.

Posłał jej zdumione spojrzenie.

– Nic już nie rozumiem. Zamknę lecznicę, zrobię herbatę i opowiesz mi wszystko, okej? Aha: pączki masz? – dodał konkretnym tonem.

Zaśmiała się i uniosła reklamówkę. Bezceremonialnie po nią sięgnął, wyjął białe pudełko ze złotym napisem i po chwili rozkoszował się wspaniałym smakiem pączków od Bliklego.

– Na bogato... Nie zapomniałaś o starym doktorze – odezwał się z wdzięcznością między jednym kęsem a drugim, po czym wywiesił na drzwiach kartkę PRZERWA, zamknął je na klucz i zadysponował: – Idziemy do kanciapki. Nie jest może tak wypucowana, jak za twojej kadencji, ale kanapa ta sama, stół ten sam, fotel również. Tylko twoje biurko wyrzuciłem, bo jedynie zagracało pokój.

Przeszli na pięterko.

Ewa rozejrzała się po skromnym pomieszczeniu, z którym łączyło się tyle wspomnień... Poduszka, w którą wylała hektolitry łez po stracie Wiktora, była również ta sama? Całkiem możliwe. Nie chciała tego sprawdzać.

– Mów, Nisia, co ci strzeliło do głowy z tą autobiografią.

– Nie-autobiografią – poprawiła go ponownie.

W odpowiedzi uśmiechnął się kpiąco.

– Nie wystarczyło, że piszesz o nim w każdej powieści...

– Ty czytasz moje powieści?!

– Nie wszystkie. Te bardziej sensacyjne – owszem. I w każdej znajduję Jakuba Andrasza.

– Wiktora Helerta, jak już – sprostowała z naciskiem. – Błagam, Piotr, nikt nie może poznać jego prawdziwej tożsamości.

– Ktoś oprócz mnie zna ją przecież. Zadra, chociażby.

– Ale nikt z szerszej publiczności nie łączy Jakuba ze mną. I z moją nie-autobiografią. Gdyby pewna menda dowiedziała się... – Pokręciła głową.

– Pewna menda nadal bruździ?

– Gdyby mogła, to by bruździła. Znasz podobne kreatury.

Znał. Wiedział też, co ten, którego mają na myśli, zrobił swego czasu ze śliczną, uroczą Weroniczką Łańską. Takie nazwisko nosiła przed tym wszystkim. Całą tą apokalipsą. Do dnia, w którym przyszła do lecznicy, usiadła – konając z bólu – tutaj, na schodkach i wykrztusiła przez łzy:

– Jestem Ewa Kotowska, rozumiesz?! Weroniki już nie ma! Zdechła raz na zawsze! Teraz jestem Ewa Kotowska!

Wtedy przytaknął i wziął się do skrobania ryb. Dzisiaj nadal myślał o niej: Weronika Łańska. Jego podopieczna. Dziewczyna, której o mały włos nie sprowadził na drogę grzechu. A potem nie stracił. Tak było...

– Nie mam pojęcia, po co to robisz – mruknął. – Piszesz te swoje powieści, okej, ale autobiografia? Po cholerę rozdrapywać stare rany? Obnażać się przed światem? Nie wiedziałem, że taka z ciebie ekshibicjonistka szalona.

Parsknęła śmiechem. Piotr i te jego porównania...

– Nie obnażam się, bądź spokojny. Piszę tak, by nikt do końca nie wiedział, ile w tej książce jest prawdziwych zdarzeń, a ile fikcji literackiej. Może zmyśliłam wszystko?

– Wystarczy, że wspomnisz o pewnym sukinsynu, znakomitym prawniku, i cała ta intryga się sypnie.

– Znakomity prawnik w mojej opowieści stanie się zwykłym, pospolitym lekarzyną z podrzędnego szpitala, spokojna głowa. Nie jestem przecież taka głupia, by pisać o prawnikach. Z nim też nikt mnie nie kojarzy. Noszę inne nazwisko, jak wiesz.

Miało to sens.

– A ja? – Ciekawe, jak jego przedstawi w tej nie-autobiografii...

– Tobie zostawiłam jedynie imię. Nazwisko jest zmienione. Naszą lecznicę – rozejrzała się po pokoju – przeniosłam na Białołękę. Chatę z karaluchami też.

Zaśmiał się. Odpowiedziała uśmiechem, bardzo z siebie zadowolona.

– Lubisz mieszać, panno Koti. Psychiatryk również teleportowałaś?

– Nieee, on stoi, jak stał.

– Litości! O tym rozdziale swojego życia też będziesz pisać?!

– Jak nie-autobiografia, to nie-autobiografia. – Wzruszyła ramionami.

– O rybach...? – W tym momencie wskazał, nie wiedzieć czemu, schodki na piętro.

– Również – ucięła stanowczo.

– Odważna jesteś. – Pokręcił głową nieprzekonany. – Zawsze byłaś – dodał.

Milczeli przez chwilę. Kiedyś wykrzyczał jej prosto w twarz, że to nie odwaga, a głupota, „pierdolona głupota!"

– to jego słowa, ale Ewa nie zamierzała mu ich wyrzucać. Jeden jedyny raz doprowadziła tego człowieka do furii. Miał prawo powiedzieć to, co powiedział, takimi słowami, jakich wtedy użył. Uznajmy, że go poniosło.

– Po co to robisz? – usłyszała ciche słowa doktora.

Spojrzała nań i w tej chwili uderzyło ją, że jednak się postarzał. I był zmęczony. Tylko dziś, czy...? Właściwie nie znała przeszłości tego mężczyzny. Nigdy się jej nie zwierzał z czasów dzieciństwa, młodości, studiów. Ona wypłakiwała się na jego ramieniu nie raz i nie dwa razy, ale on? Niewiele wiedziała o kimś, kto był jej naprawdę drogi. O tym, co porabiał po jej odejściu, jeszcze mniej. Znalazł w końcu tę jedyną czy nadal jest wolnym strzelcem? Zerknęła na dłoń przyjaciela. Nie nosił obrączki. Posmutniała.

– Wiesz, że cię kochałam? – odpowiedziała pytaniem na pytanie.

– Wiem, Nisia.

– Bardzo.

Pokiwał głową. Tego również był świadom. Jak i faktu, że nigdy nie kochała nikogo tak, jak Jakuba, Wiktora, czy jak go tam nazwie.

Ewa poczuła nagle, że to ich pożegnanie i łzy napłynęły jej do oczu.

Szybko zmieniła temat:

– Pokazać ci zdjęcie?

Sięgnęła do torby, wyjęła portfel i wyciągnęła z przegródki niewielką fotkę, z której uśmiechał się...

Piotr wziął zdjęcie w dwa palce. Poczuł, jak gardło zaciska mu się boleśnie, lecz mimo to rzekł:

– Ależ piękny ten twój Kubuś.

A potem patrzył, jak w oczach kobiety pojawia się jasny płomień. Czysta, bezgraniczna miłość. Kiedyś, niemal ćwierć wieku temu na niego też patrzyła z miłością, ale nigdy z aż taką…

ROZDZIAŁ X

WERONIKA

– Czy ty nie powinnaś się uczyć?

Nie takich słów na powitanie się spodziewała. Posłała doktorowi spłoszone spojrzenie. Był na nią wyraźnie zły. Dlaczego?

– Umawialiśmy się: przychodzisz do lecznicy w weekendy. Dziś mamy…?

– Wtorek – odparła pokornie.

– Wczoraj przymknąłem oko, „niech jej będzie, zapomniała się", ale zapominasz się trzeci tydzień, dziewczyno! Do matury został ci niecały rok. Do cholernie trudnych egzaminów na weterynarię również. Jak zamierzasz je zdać, skoro całe dnie przesiadujesz w lecznicy, zamiast brać się do nauki?!

– P-przecież się uczę – zająknęła się, popatrując na niego ze zdziwieniem i urazą. Co dziś ugryzło doktora? Dlaczego się na niej wyżywa? – Uczę się zawodu.

– Do matury masz się uczyć! Twoja matka…

Ach, więc to matka. Któż by inny.

Jeszcze przed chwilą potulna i bliska łez, teraz uniosła buntowniczo głowę, w oczach rozbłysła złość.

– Gdzie była moja matka, gdy przymierałam głodem na Czeremchowej? – wycedziła, patrząc Kochanowskiemu prosto w twarz. – Gdzie była, gdy tułałam się po stancjach, podczas gdy ona obcym ludziom za bezcen wynajmowała mieszkania w kamienicy? Gdzie była… – Urwała. Machnęła ręką.

– Nika, ja to wszystko wiem – zaczął ugodowo doktor. – I darzę ją podobną miłością, co ty. Jednak tym razem jestem po jej stronie.

– I ty, Brutusie?

– Masz fatalne stopnie. Po prostu fatalne.

Wzruszyła nonszalancko ramionami, chociaż w głębi duszy wcale nie było jej wszystko jedno. Pragnęła zdać na weterynarię. Marzyła o tym, jak o niczym innym. Doktor Kochanowski miał rację. Jej matka również, ale Weronika za chińskiego pana nie przyznałaby się do tego. Mieszkając od roku pod jednym dachem, omijały się jak tylko mogły. Ona, Weronika, chociaż zajmowała maleńką kawalerkę na tym samym piętrze, co matka, poza wyznaczonymi godzinami trzymała się od sąsiednich drzwi z daleka. Umowa była jasna: jest blisko, poświęca matce godzinę dziennie, ale nic poza tym. Na więcej ustępstw nie przystała.

Powinni być szczęśliwi, że w ogóle na jakieś poszła…

Rok temu, w grudniu, w mroźny poranek szykowała się do wyjścia, a nie było to takie rach-ciach, jak jeszcze parę miesięcy temu. Dziś spędzała przed lustrem tyle czasu, co jej koleżanki, z tym że one stroiły się wieczorami. Przed imprezą czy dyskoteką. Weronika zaś w sobotnie poranki, przed wyjściem do lecznicy. Taka była odwrotna.

Najpierw makijaż, delikatny, ale jednak. Oczy podkreślone złocistozielonym cieniem, tusz na rzęsach i błyszczyk na ustach. Doktor nie lubił, gdy była zbyt wyzywająco umalowana, a jego słowo było dla Weroniki najważniejsze.

Sukienka czy obcisłe dżinsy? Hmm… W czym może się podobać pełnokrwistemu facetowi? Ostatnio były dżinsy i burgundowy golf, podkreślający to i owo. Może więc tym razem sukienka? Dziwne, że nigdy nie stroiła się tak dla Wiktora, który kochałby ją nawet odzianą w jutowy worek. Starała się wyglądać najpiękniej, jak można, ale nie spędzała przed lustrem pół dnia!

Doktor Kochanowski ani Weroniki nie kochał, ani nie pragnął jej miłości, ot co. Westchnęła ciężko, splatając długie, kasztanowe włosy w warkocz i przerzucając go przez ramię.

Raz jeszcze zerknęła w lustro. Nie była brzydka. Ale pięknościom, które nawiedzały lecznicę, Weronika nie dorastała do pięt. Szczególnie ostatnia „zaufana pacjentka", Wioletta, ociekająca seksapilem brunetka, doprowadzała dziewczynę do łez. Przy niej nie miała szans. Żadnych!

– A jednak to ja spędzam z doktorem całe dnie – wyszeptała z uporem. – To beze mnie nie może się obejść przy operacjach. To do mnie dzwoni niemal co wieczór, żeby zapytać, czy bezpiecznie dotarłam do domu. Do mnie, nie do ciebie, wampirzyco.

Wioletta ubierała się w krwiste czerwienie, jej paznokcie i usta również miały barwę krwi. Określenie pasowało więc jak ulał. Weronika w akcie desperacji kupiła któregoś dnia obcisłą, czerwoną sukienkę i takąż szminkę. Oczy umalowała równie mocno, jak tamta, po czym zadowolona z efektu poszła do lecznicy i… równie szybko znalazła się z powrotem w domu.

– Coś ty z siebie zrobiła?! – wybuchnął Kochanowski na widok dziewczyny. – Wyglądasz jak… jak… – Chciał rzucić „dziwka", ale ugryzł się w język. – Masz to z siebie zdjąć! I zmyć ten… nieprzyzwoity makijaż!

W pierwszym momencie oniemiała, nie spodziewając się takiej reakcji. Może nie liczyła na zachwyty, ale „masz to z siebie zdjąć"?! „Nieprzyzwoity"?!

– Ona się panu podoba właśnie taka! W takiej sukience i takim makijażu! – krzyknęła przez łzy. – I nigdy nie słyszałam, żeby zarzucił jej pan nieprzyzwoitość!

– Komu, na Boga? – zdumiał się.

– Wioletcie! Proszę nie udawać, że… – Tym razem ona musiała ugryźć się w język, bo już miała wypalić „że pan na nią nie leci", ale w następnej chwili ona by wyleciała. Na zbity pysk. Z lecznicy.

– Ty… przebrałaś się za Wiolettę? – Uniósł brwi.

Aż zgrzytnęła zębami. Nie przebrała się za żadną Wiolettę! Próbowała wyglądać pociągająco! Jak tamta. Czy to grzech?

Widząc łzy w oczach dziewczyny, Piotr przyciągnął ją do siebie, cmoknął we włosy, jak to on. Wyrwała się. Nie potrzebowała jego przyjacielskich gestów! Pragnęła... czegoś więcej.

– Nisia, jesteś śliczna bez tych czerwieni i szminek – zaczął łagodnie, domyślając się, co dzieje się w sercu dziewczyny.

Od jakiegoś czasu była wpatrzona w niego jak w obraz. Znał te maślane spojrzenia. Niemal każda klientka słała mu takie. Mile łechtały męskie ego, musiał przyznać. Uwielbienie, jakim darzyła go Weronika, również sprawiało mu przyjemność. Do czasu, gdy był dla niej li tylko mentorem. W pewnym momencie jednak owo uwielbienie zmieniło się w coś więcej i to przestało się Kochanowskiemu podobać. Traktował Weronikę jak swoją podopieczną, kogoś w rodzaju młodszej siostrzyczki czy siostrzenicy. Nie widział w niej kobiety. Była, na miłość boską, nietykalna! Ale dzieckiem w jego oczach również przestała być.

Zauważał jej nieśmiałe próby zwrócenia na siebie uwagi. To, jak wodzi za nim wzrokiem, gdy wydaje się jej, że Piotr tego nie widzi. Dotyk jej smukłych palców niemal parzył, gdy podczas operacji niechcący dotykała jego dłoni. Cofała rękę natychmiast, jednak dziewczynę zdradzał rumieniec. Nie było to więc do końca takie „niechcący"... Gdy zwracał się do niej z pytaniem albo prośbą, chłonęła każde jego słowo i odnosił nieodparte wrażenie, że zrobiłaby wszystko, czego on zażąda. Gdy rzucał dobre słowo czy pochwałę, rozpromieniała się, niczym małe słoneczko. Zielone oczy błyszczały wtedy tak, że mógłby... gdyby tylko mógł...

Gasił ten blask.

Dusił jej uczucia w zarodku.

Bo tak trzeba.

Dziewczyna nie mogła wiedzieć, jak na jej niewinne zaloty reaguje jego ciało. A owszem. Reagowało prawidłowo.

„Dziecko drogie – zżymał się w myślach – nie mnie uwodzisz, a swojego Wiktora. To jego pragniesz kochać, a że nie masz takiej możliwości, znalazłaś sobie substytut, namiastkę!".

Czy on, Piotr Kochanowski, chciał być dla kogokolwiek namiastką? Jasne, że nie! Gdyby Weronika była z pięć lat starsza, po prostu by ją sobie wziął. I wybił jej z głowy Wiktora raz na zawsze. Sorry, ale z nim, Piotrem nomen omen Kochanowskim, chłopak w te klocki nie miał żadnych szans. Jednak dziewczyna, jeśliby Piotr bardzo wcześnie zaczął, mogła być jego córką. Nie było mowy, żeby wykorzystał to dziecko!

Powinien trzymać podopieczną na dystans, stopniowo ją od siebie odsuwać. Potrafił przecież dawać do zrozumienia co bardziej namolnym wielbicielkom, że nie jest zainteresowany. Nie leciał przecież na wszystkie! Tej jednej nie potrafił jednak zranić. Pamiętał jej rozpacz po stracie Wiktora. Pamiętał czarne dziury oczu w wychudłej, poszarzałej twarzy. Jej cichy płacz, gdy leżała zwinięta na kozetce z kocem naciągniętym na głowę, łamał mu serce. Nie chciał, by znów cierpiała. Przez niego.

Weronika była jednak jak ćma, wabiona płomieniem świecy. Pragnęła miłości. Nawet jeśli znów miałaby się poparzyć.

Teraz przeglądała się w lustrze, patrząc na siebie oczami doktora. No. Tym razem nie każe jej biec do domu, zmywać makijaż i przebierać się w mniej wyzywające ciuchy. W czarnej sukience z białym kołnierzykiem wyglądała jak grzeczna, niewinna uczennica. Którą notabene była...

Jakieś zamieszanie na schodach i czyjeś podniesione głosy sprawiły, że ręka dziewczyny, wiążąca na końcu warkocza czarną aksamitkę, zamarła bez ruchu. Czyżby Bracia Jot wrócili dziś z pracy wcześniej? To niemożliwe! Przecież ze dwie godziny temu wychodzili z domu.

Pukanie do drzwi rozbrzmiało tak nagle i tak głośno, że aż drgnęła.

– Proszę!

Były otwarte. Od dawna nie zamykała ich na klucz. Jacka, Janka i Józka nie musiała się obawiać.

– Weroniczko, panowie do ciebie. – W drzwiach pojawiła się przestraszona twarz pani Jadwigi.

Dziewczyna wstała powoli.

Do pokoju wszedł policjant. Za nim drugi.

Wiktor! – to było pierwsze, co przyszło jej do głowy. Coś się stało z Wiktorem! Nie żyje!

Nogi się pod nią ugięły.

– Weronika Nocyk? – zapytał mężczyzna.

Zdobyła się jedynie na kiwnięcie głową.

– Rodzice zgłosili twoją ucieczkę. Pójdziesz z nami.

– Nie uciekłam z domu! – powtarzała ze złością po raz nie wiadomo który. – Zostałam wyrzucona! Matka kazała mi się wynosić! Czego ode mnie chce? Stęskniła się?! Przez okrągły rok nie zainteresowała się gdzie jestem, jak sobie radzę, i nagle pragnie mieć z powrotem swoją córeczkę?! Ma mnie gdzieś! Wyrzuciła mnie z domu!

– Dziecko, będziesz się tłumaczyła kuratorowi. Nam kazano po prostu cię przywieźć – w głosie policjanta brzmiało znużenie.

Ileż razy wysłuchiwał podobnego słowotoku. Nawet jeśli ta mała mówiła prawdę – wielce prawdopodobne, że tak było – dostał z biura prokuratora polecenie, by zawrócić córkę marnotrawną na łono stęsknionej rodziny. Musiał je wykonać, jeśli nie chciał mieć poważnych problemów.

Minęli komisariat na Modlińskiej.

Weronika nagle umilkła, a potem wykrztusiła:

– D-dokąd mnie wieziecie?

– Do domu.

– Ja nie chcę! Wolę do pogotowia opiekuńczego, domu dziecka, gdziekolwiek... – Zachłysnęła się oddechem.

Strach zjeżył jej włosy na głowie. Widmo ojczyma, który próbował ją skrzywdzić zachichotało w spanikowanym umyśle dziewczyny.

– Jeśli on tam będzie... ten cały Rafał... wyskoczę przez okno. Zrobię to – odezwała się nieswoim głosem.

Policjanci spojrzeli na siebie. I odwrócili wzrok. W każdym innym przypadku zastanowiliby się po dwakroć, czy wieźć dziecko do miejsca, którego ono tak nienawidzi. Ten przypadek był jednak wyjątkowy. Córka pani prokurator musiała znaleźć się tam, gdzie życzyła sobie mamusia.

– Zawsze możesz przyjść na komendę – rzekł bez przekonania ten, który prowadził. – Jeśli w domu dzieje się coś nieprawidłowego, masz prawo to zgłosić.

„Nieprawidłowego"?! Prychnęła tylko.

Owszem, próba gwałtu na pasierbicy była czymś bardzo „nieprawidłowym". Reakcja matki, która zamiast bronić dziecka, wyrzuca je z domu, jeszcze bardziej. Weronika odwróciła twarz do okna, by mężczyźni nie widzieli łez w jej oczach. O tej porze mogła już być w lecznicy... Czy doktor zaniepokoi się, dlaczego nie przyszła? Będzie jej szukał?

Akurat.

Wiedziała, że Piotr próbuje odsunąć ją na zdrowy dystans. Miała świadomość, że głupie zauroczenie, z którego nie potrafiła się wyleczyć, nie jest doktorowi na rękę. Nie dawniej jak tydzień temu zrobiła mu scenę zazdrości o wampirzycę Wiolettę. Boże mój, ale się zbłaźniła... Widziała w oczach lekarza politowanie, a potem złość. Wybiegła z płaczem jak dziecko. Wróciła po godzinie. W skromnej sukience, bez makijażu, tak jak sobie życzył, ale on i tak do końca dnia ani razu się nie uśmiechnął.

Miała nadzieję, że dziś go przebłaga. Po drodze zamierzała kupić pączki, jeszcze ciepłe. Tymczasem jedzie do miejsca, które zdążyła wymazać z pamięci. Co za podły los…

ROZDZIAŁ XI
POWIŚLE

– Znalazła się zguba – tymi słowami powitał Weronikę… ojciec.

Ten sam, którego nie widziała od ładnych paru lat.

Stał w drzwiach mieszkania na Powiślu i jak gdyby nigdy nic uśmiechał się do dziewczyny. Ot, tatuś wita córcię na progu domu.

Policjanci zasalutowali, odwrócili się na pięcie i już ich nie było. Została sama. Schwytana w pułapkę. Zdana na łaskę i niełaskę tych, którzy nigdy jej nie kochali. Litości w sercach nie mieli także.

– Wejdź do środka, Werka. – Mężczyzna usunął się z przejścia.

Chcąc nie chcąc, zrobiła, co kazał. Na klatce przecież tkwić nie będzie.

Ze wstrzymanym oddechem – może żyją we trójkę?, ojciec, matka i Rafałek?, może ten trzeci czai się za drzwiami jej pokoju? – przeszła przez ciemny korytarz. Do kuchni.

Tu nic się nie zmieniło. Była tak samo zapuszczona i cuchnąca jak w dniu, w którym Weronika wróciła z Orławy. Po śmierci babci Steni.

– Usiądź, dziecko. Pogadajmy.

Usiadła na brzeżku lepiącego się z brudu krzesła.

– Twoja matka miała wylew – zaczął głosem wyprutym z emocji. – Dwa dni temu dostałem wiadomość, że trzeba odebrać ją ze szpitala, bo leży w nim za długo. Za długo, rozumiesz? Ten skurw… ten jej gach zostawił ją tam i się ulotnił. Nie wiedzieli, gdzie go szukać, zaczęli więc szukać mnie. No i odnaleźli. A ja odnalazłem ciebie.

– Po co? – udało się Weronice wykrztusić przez zaciśniętą krtań.

Nie chciała tego słuchać! Nie chciała o niczym wiedzieć! Wylew matki w ogóle jej nie interesował! Chciała wyjść z tej nory i wrócić do swojego pokoiku w domu pani Jadwigi, gdzie Bracia Jot czekają na nią z obiadem. Tylko tyle. Znów poczuła łzy pod powiekami.

– Widzisz, Nisia, nie mogę się zajmować twoją matką.

– A twoją żoną! Ona nadal jest twoją żoną, pamiętasz?!

Wzruszył ramionami.

– Pogoniła mnie z domu. Wybrała gacha. Jakoś nie czuję się z Marzeną specjalnie związany.

– Mnie też pogoniła. I też wybrała gacha.

– Przykro mi, córciu, ale jedno z nas musi się nią zająć. I nie. To nie mogę być ja – dokończył stanowczo, zanim zdążyła zaprotestować. – Mam dobrą fuchę. Pracuję na statkach. Teraz, gdy znów jesteśmy we troje, ktoś musi na cały ten szajs zarabiać. – Obrzucił kuchnię pełnym wstrętu spojrzeniem. – Przemyślałem wszystko. Jeśli się zgodzisz zostać tu do czasu, aż matka wyzdrowieje, zafunduję ci studia.

– Masz obowiązek fundować mi studia!

– A ty masz obowiązek pomagać rodzicom.

– W takim razie wybieram wolność. Na studia zarobię sama. – Wstała, gotowa ruszać do drzwi.

Przytrzymał ją za ramię. Pokręcił głową.

– Odnajdę cię i sprowadzę z powrotem.

– Ucieknę!

– I trafisz do poprawczaka.

Na słowo „poprawczak" usiadła. Tak jak stała. Czy ten… podły, ze wszech miar podły człowiek byłby w stanie zamknąć ją, swoją córkę, w więzieniu? Nie potrafiła odpowiedzieć sobie na to pytanie. Nawet jeśli blefował, jeśli to był tylko szantaż, udało mu się.

– Czy ty i ten cały Helert… jesteście ze sobą?

Zaprzeczyła, spuszczając wzrok.

– Na całe szczęście – warknął. – Nie życzę sobie, żeby moja córka zadawała się z pospolitym bandziorem.

Zachłysnęła się gniewem.

– Ty sobie nie życzysz?! Ty?! A gdzie byłeś, gdy pospolity bandzior, gach matki, próbował mnie zgwałcić?!

Zbladł.

– Próbował cię...?!

– Gdzie byłeś, gdy matka wygnała mnie z domu, zamiast bronić przed zboczeńcem?! Gdzie byłeś, gdy konałam z głodu, bez domu, bez pieniędzy, gdy obcy ludzie – i Wiktor! – otaczali mnie opieką?! Gdzie ty byłeś, tatusiu, gdy ciebie potrzebowałam?! – Nie czekała na odpowiedź, bo co niby miał odrzec? – Nigdy więcej nie nazywaj Wiktora bandziorem, rozumiesz? Jest lepszym człowiekiem niż ty i matka razem wzięci, że o tamtym zboku nie wspomnę.

Poczekał, aż dziewczyna się uspokoi. Zapewnił, że nigdy tak o Wiktorze nie powie, a gdy ona była w stanie wysłuchać go do końca, zaczął:

– Nika, zawrzyjmy układ: zajmujesz się matką do matury, potem jesteś wolna. Będę płacił za twoje studia, za akademik i wyżywienie. Nie musisz iść na uczelnię tutaj, w Warszawie. Możesz studiować, gdzie chcesz. Lublin, Olsztyn, Wrocław, mi za jedno.

Wrocław! Aż drgnęła na dźwięk tej nazwy. Wiktor odsiaduje wyrok we Wrocławiu! I dopiero teraz zaczęła uważnie słuchać. Jej ojciec, zadowolony, ciągnął dalej:

– Nie będziesz musiała jej myć, karmić, czy co tam trzeba. Najmę pielęgniarkę. Nawet w tym domu nie musisz mieszkać. Obok stoi pusta kawalerka. Mała i plugawa, ale dla ciebie w sam raz.

„No tak. Plugawa, więc w sam raz", pomyślała z ironią dziewczyna, ale pomysł, by w całej tej sytuacji mieszkała na swoim, wydał się kuszący.

– Po prostu bądź blisko, gdyby matka cię potrzebowała.

Umilkł, bo nic więcej nie zostało do powiedzenia. Teraz wszystko zależy od decyzji, jaką podejmie Weronika. Jeśli nie po myśli ojca – trzeba ją będzie mocniej przycisnąć.

Ona zaś – wabiona obietnicą studiów we Wrocławiu, z widmem poprawczaka jako alternatywą – podjęła prawidłową decyzję…

…która okazała się trudna w realizacji.

Od szkoły, i lecznicy rzecz jasna, dzieliło ją teraz pół Warszawy. Żeby zdążyć na ósmą rano, musiała wstawać o szóstej. Do mieszkania – plugawej kawalerki, którą odmalowała, wypucowała i udomowiła – wracała ledwo żywa dobrze po dziesiątej. Jeśli doktor oczywiście pozwolił jej zostać do zamknięcia lecznicy. Coraz częściej bowiem wyganiał ją wcześniej.

– Nie mogę spać spokojnie ze świadomością, że wracasz sama, po nocy, przez całe miasto – tłumaczył, ale Weronika podejrzewała, że po prostu ma jej dosyć. Jej i głupiego uczucia, które nie chciało minąć. Im bardziej on ją od siebie odsuwał, tym bardziej ona do niego lgnęła.

Musiała kogoś kochać. Nie potrafiła inaczej.

Wreszcie Kochanowski postawił twarde warunki: Weronika może przyjeżdżać do lecznicy w weekendy i dni wolne od zajęć szkolnych. Nie musi uczyć się na samych piątkach, ale w ogóle ma się uczyć. Tak, żeby zdać maturę.

O studiach pomyśli się w dalszej kolejności. Jeżeli ona nie pójdzie na taki układ, może się więcej nie pokazywać.

Nie pozostawił jej wyboru. Musiała się zgodzić albo mogła się pożegnać z pracą w lecznicy i przyjaźnią doktora. Na szczęście właśnie w soboty, czasem w niedziele, były umawiane zabiegi, zaś asystowanie przy operacjach Weronika kochała najbardziej. Szczególnie, że coraz częściej doktor pozwalał jej samodzielnie wykonywać prostsze zabiegi, do niej należało znieczulanie pacjentów i wybudzanie z narkozy. Nie rozstawała się z podręcznikami weterynarii. W chirurgii, anestezjologii, internie, położnictwie była coraz lepsza. Za to biologia, chemia, matma, polski, czyli przedmioty, które powinna mieć w małym palcu, jeśli chce dobrze zdać maturę i dostać się na wymarzone studia – one leżały odłogiem.

To właśnie wykrzyczał jej przed chwilą w twarz doktor Kochanowski.

Widać matka, która wróciła wczoraj z wywiadówki, musiała mu się poskarżyć. Zadziwiające, że tych dwoje – przyjaciel Weroniki i kobieta, która jej szczerze nie cierpiała – za plecami dziewczyny zawarło przymierze.

Marzena, gdy doszła do siebie po wylewie, pierwsze co zrobiła, to udała się do lecznicy, ciekawa, gdzie jej córka znika na całe weekendy. Była to ciekawość podszyta złością na Weronikę, jakżeby inaczej, bo ta poświęcała chorej matce za mało czasu.

Kobieta nie znała, co to wdzięczność. Bez trudu wyrzuciła z pamięci dzień, w którym pozbyła się dziewczyny z domu. Teraz jednak domagała się od niej należnych względów.

– Wera nie robi łaski, że się mną zajmuje – powtarzała każdemu, kto chciał jej słuchać. – To jej obowiązek!

Weronika dotrzymywała słowa danego ojcu: dopóki matka nie wstała z łoża boleści, zaglądała do niej raz dziennie, na godzinę, pilnując, by Marzena była syta i czysta. Niczego więcej nie obiecywała.

Gdy matka odzyskała sprawność, wizyty Weroniki w mieszkaniu obok skończyły się jak nożem uciął. Nie czuła się zobowiązana do dotrzymywania matce towarzystwa. Zresztą podłe to było towarzystwo i nieprzyjemne. Marzena, przestając tylko z małomówną, oschłą pielęgniarką, która nie pozwalała sobie w kaszę dmuchać, całą złość i frustrację wyładowywała na córce, gdy tylko ta znalazła się w zasięgu jej języka. Pani prokurator uwielbiała wbijać szpile bliźnim w najczulsze punkty, tak, żeby bolało. W przypadku Weroniki takim punktem był oczywiście Wiktor.

Gdy tylko Marzena odkryła, jak córka reaguje na dźwięk tego imienia, zaczęło się. „Bandzior, łachudra, recydywista" – inaczej się o chłopaku nie wyrażała, krasząc te epitety pogardliwym skrzywieniem ust.

Weronika łykała łzy, kończyła sprzątanie pokoju tak szybko, jak tylko mogła, i uciekała do siebie, do swojej maleńkiej kawalerki, by wypłakać tam złość i żal. Przez całe życie jej matka robiła wszystko, by zasłużyć li tylko na nienawiść...

I właśnie ona, osoba na wskroś przeżarta złem, wkradła się w łaski kogoś tak bezwzględnie dobrego jak doktor Kochanowski. Jakim cudem?!

– Ona przed panem gra dobrą mamusię, naprawdę pan tego nie widzi? – mówiła ze złością Weronika, gdy doktor odprowadzał Marzenę do drzwi i żegnał się z nią uprzejmie.

– To twoja matka – odpowiadał surowo. – Będę więc dla niej grzeczny. Ty też powinnaś.

Dziewczyna kręciła tylko głową. Czuła się zdradzona przez przyjaciela. Tak po prostu.

Gdy dziś usłyszała: „Masz się uczyć do matury! Tym razem jestem po stronie twojej matki!", po prostu odwróciła się i wyszła.

Wahał się jedynie krótką chwilę, po czym ruszył za nią.

– Nika, poczekaj!

Nie zatrzymała się.

Dopadł jej, chwycił za ramię i odwrócił do siebie tak silnie, że na niego wpadła. Odruchowo zamknął ją w objęciach. Znieruchomiała, wpatrzona ogromniejącymi oczami w źrenice mężczyzny. Och, doktor przytulał ją, całkiem niewinnie, wiele razy. Tylko, że teraz nie było to takie niewinne... Trwała nieruchomo, bojąc się głębiej odetchnąć. Wiedziała, że najmniejszy jej ruch i czar pryśnie. To, o czym marzyła od roku, nigdy się nie ziści.

On czuł na swoim ciele każdą krągłość dziewczyny i każde zagłębienie.

„Jest pełnoletnia", coś szepnęło w jego umyśle, otumanionym nagłą bliskością tej istoty. Pachniała ślicznie, delikatnie i kobieco. Bzem? Tak, to był zapach bzu, który od dziś zawsze będzie mu się kojarzył z Weroniką. Jej oczy, teraz ciemnozielone, obiecywały więcej, niż dziewczyna mogła mu dać. Bo co ona wiedziała o seksie? Była niewinna. Nietknięta przez mężczyznę.

„Możesz ją mieć", znów ten diabelski szept. „Sprzątniesz jej dziewictwo Wiktorowi sprzed nosa". Pożądanie szarpnęło go za lędźwie tak, że zabrakło mu oddechu. Ostatnia myśl była bardzo... bardzo kusząca. Perfidna również. Z trudem zmusił się, by rozewrzeć ramiona i odepchnąć ją lekko.

Zamrugała, jak obudzona z pięknego snu.

– Nie chcesz mnie? – wyszeptała łamiącym się głosem.

– Nawet nie wiesz, jak bardzo chcę.

– No to... po prostu mnie sobie weź. – Spróbowała się uśmiechnąć.

Dotknął jej policzka. Pogładził tak czułym gestem, że łzy zabłysły w zielonych oczach.

– Nie wiesz, co mówisz, dziecko. – Pochylił się i pocałował jej miękkie, ciepłe wargi. Lekko. Jak przyjaciel, nie kochanek.

– Nie jestem już dzieckiem.

Ona przez chwilę czuła ten sam żar, którym płonęła od dotyku Wiktora. Tak samo jak wtedy pragnęła mężczyzny.

Smaku zaborczych warg na swoich ustach. Pragnęła być pieszczona, jak była. Całowana i tulona, jak Wiktor tulił ją i całował. Chciała brać i dawać. Więcej… więcej, niż z Wiktorem. Tak. Była dorosła i gotowa oddać się mężczyźnie. Temu właśnie. Skoro nie miała Wiktora, bo on jej nie chciał, po prostu nie chciał!, odda się doktorowi. Przełamie jego głupie skrupuły, spowoduje, że on złamie zasady, zapragnie jej tak samo, jak ona jego. „Potrafię to, prawda?", zapytała sama siebie, po czym sięgnęła w dół. Chwycił ją za nadgarstek tak szybko, że nie zdążyła go nawet dotknąć.

– Nie rób tego, Weronika – wycedził przez zaciśnięte zęby.

Posłała mu spłoszone spojrzenie. Jest na nią zły? Za co?!

Ale on, jeśli był wściekły, to na siebie, że z trudem, naprawdę z trudem, panuje nad chęcią pochwycenia tej dziewczyny na ręce, zamknięcia kopniakiem drzwi lecznicy, zaniesienia branki na górę, ciśnięcia jej na kozetkę i… tak, gotów był wziąć tę dziewczynę teraz. Natychmiast. W korytarzu albo w gabinecie na biurku, wszystko jedno…

Odwrócił się gwałtownie. Ruszył na piętro i zamknął się w łazience. Została sama, szeroko otartymi oczami patrząc w miejsce, gdzie przed chwilą stał. Co teraz? Ma pójść za nim? Wezmą razem prysznic i potem to się stanie? Nie miała pojęcia. Była taka naiwna i niedoświadczona. Czasy, kiedy seks będzie łatwy i tani jak wypicie butelki coli, dopiero nadejdą. Dla niej zaś nie nadejdą nigdy. Ona zawsze pozostanie wierna ideałom, w których kochasz się tylko z tym, kogo kochasz. Proste.

Teraz, nie bardzo wiedząc, co ze sobą zrobić – może powinna pójść na górę, rozebrać się i czekać na niego na kozetce, pod kocem?, czego na litość boską się po niej oczekuje?! – stanęła pod drzwiami łazienki i powoli nacisnęła klamkę. Były zamknięte od środka. Dobiegał ją jedynie szum wody z prysznica.

Czekała dotąd, aż ucichł i Piotr wyszedł.

Widząc ją pod drzwiami, pobladł z frustracji.

– Przepraszam, Weronika. To się więcej nie powtórzy – powiedział wolno, cedząc zgłoska po zgłosce.

– Ale ja tego chcę!

– Chcesz, owszem, ale nie ze mną.

– Z tobą! Przecież jestem świadoma, kogo przed sobą mam!

– Dziecko kochane, nie jesteś jeszcze gotowa…

– Jestem! Mam prawie dziewiętnaście lat. Wiem wszystko o s-seksie. – Potknęła się na tym słowie.

Chyba jednak nie była gotowa. Mimo to brnęła dalej, zdeterminowana, by dostać to, czego chce. Mniejsza, że już nie wiedziała, co to jest.

– Piotr, jeżeli masz jakieś skrupuły, bo jestem od ciebie młodsza, po prostu o nich zapomnij. Dla mnie te piętnaście lat różnicy nie ma żadnego znaczenia. Gdybyś chciał… gdybyś poprosił mnie o rękę, powiedziałabym: „Tak".

– Bredzisz, dziecko! – Znów go rozzłościła. – Nie wiesz, co mówisz.

– Mówię, że cię pragnę! Wyznaję ci miłość, a ty nazywasz to bredniami?!

– O miłości nie wspomniałaś ani słowem. Przecież wiem, że mnie nie kochasz.

– Kocham! Nie wspomniałam, bo sobie tego nie życzyłeś! Nie chcesz mojej miłości!

– Nisia... proszę. To nie miłość, nawet nie zakochanie. Może zauroczenie, ale nic więcej. Oboje wiemy, kogo tak naprawdę kochasz. Przykro mi więc, nawet nie wiesz jak bardzo, ale nie ja będę twoim pierwszym mężczyzną. Musisz poczekać na kogoś godniejszego.

– Ty jesteś godny – zapewniła żarliwie. – Nie znam nikogo godniejszego od ciebie! Naprawdę!

– Znasz, znasz, moja kochana – uśmiechnął się trochę smutno, trochę kpiąco. – Ja byłbym jedynie jego namiastką.

– Mówisz o Wiktorze oczywiście? – nachmurzyła się.

– Oczywiście. O kim innym mógłbym w takiej chwili wspominać?

Uśmiechnął się łagodnie, znów w pełni nad sobą panując. Zimna woda pod prysznicem zdecydowanie mu w tym pomogła. Odsunął kosmyk włosów z oczu dziewczyny, ale ona cofnęła głowę, urażona i zła.

Czuła się odrzucona. Jej szczere uczucie podeptano. Wyznała miłość temu mężczyźnie. Chciała mu się oddać.

Oddać mu swoją niewinność. Więcej, oświadczyła się Piotrowi Kochanowskiemu, a on ją po prostu wyśmiał!

Pchnęła go obiema dłońmi w pierś, z całej siły, i pobiegła do wyjścia. On został w korytarzu. Tym razem nie wolno mu było biec za dziewczyną. Już nie.

ROZDZIAŁ XII
WERONIKA

Szła przed siebie, po prostu przed siebie, nie wiedząc dokąd i po co, oślepiona łzami. Była przeklęta! Po prostu ktoś ją przeklął! Za co?! Przecież nikogo nie skrzywdziła! Pokochała Wiktora, ale jej nie chciał. Odważyła się pokochać Piotra, ten też jej nie chce! Dlaczego?!

Potknęła się i byłaby upadła, gdyby nie podtrzymało jej czyjeś ramię.

– Weroniczko, kochana, co się stało? – usłyszała zmartwiony głos Józka, najmłodszego z Braci Jot i rozszlochała się na dobre.

– Zabierzmy ją do domu. – Janek, najstarszy, równie zaniepokojony co jego brat, ujął dziewczynę pod łokieć i poprowadził do drzwi.

Chwilę później sadzał ją za stołem w kuchni, a Jacek podsuwał łkającej przyjaciółce pudełko chusteczek.

– Ktoś ci coś zrobił? – Janek musiał to wiedzieć.

Od kiedy poznał tę wrażliwą, cichutką dziewczynę i serdecznie ją polubił, bał się, że jakiś bandzior ją skrzywdzi. Mało to niewyżytych bydlaków kręci się po okolicy? Odetchnął z ulgą, gdy zaprzeczyła. Nie miał nic przeciwko bijatyce, im trzem, którzy mięśnie wyrobili sobie na budowach, nie na siłce, doprawdy niewielu by podskoczyło, ale wolał wiedzieć, że Weronika jest cała i zdrowa.

– Wiktor? – domyślił się Józek, z którym najchętniej dzieliła się swoimi sekretami.

Zaprzeczyła ponownie. Płacz cichł powoli. Łkanie, wstrząsające szczupłym ciałem, mijało. Weronika podeszła do zlewu, umyła twarz zimną wodą i otarła ręcznikiem. Stała naprzeciw trzech braci, dobrych, fajnych ludzi, patrzyła na nich zaczerwienionymi od łez oczami i zastanawiała się, jak wiele razy wcześniej, czemu, na Boga, nie mogła pokochać któregoś z nich?

– Nie mogę już chodzić do lecznicy – wyszeptała.

Pokiwali głowami.

Każdy inny zacząłby dopytywać: dlaczego, kto, gdzie i jak, ale nie Bracia Jot. Weronika będzie chciała opowiedzieć, co się stało – opowie. Jeśli jest to dla niej zbyt bolesne – uszanują jej milczenie.

– Jesteś głodna? – odważył się zapytać Józek, który każde nieszczęście leczył czymś do jedzenia.

– Nie.

– Masz gdzie się podziać?

– Chciałabym zostać tutaj. Chociaż na jedną noc.

– Twój pokój jest zajęty przez nową lokatorkę, niestety nie taką fajną jak ty, ale Janek przeniesie się do nas, ty prze-śpisz się u niego, może być?

– Dziękuję. – Próbowała się uśmiechnąć, żeby wiedzieli, jak bardzo jest im wdzięczna, za wszystko, ale usta zadrżały, a w oczach znów pojawiły się łzy.

– Nie płacz, Weronka. – Janek pogłaskał ją niezdarnie po włosach. Wielki jak niedźwiedź potrafił kochać kobiety, ale pocieszanie wychodziło mu nieco gorzej. – Jutro będzie nowy dzień. Lepszy, trzeba w to wierzyć. Zrobię ci mleka z miodem i położysz się, dobrze?

Pozwoliła z powrotem posadzić się przy stole, wypiła szklankę ciepłego, słodkiego mleka, do którego Janek przemycił jeszcze łyżeczkę masła, po czym ledwo trzymając się na nogach, wyczerpana wydarzeniami tego dnia i długim płaczem, przeszła do pokoju najstarszego z braci, padła na łóżko zasłane świeżo upraną pościelą i zasnęła, gdy tylko przyłożyła głowę do poduszki.

Na jej komórkę, którą zostawiła na stole w kuchni, wszedł sms: „Przepraszam, Weronika. Jeśli nadal tego chcesz, zacznijmy od nowa". Przysłał go Piotr Kochanowski.

Bracia patrzyli chwilę na wyświetlacz.

– Przyjdź do niej z kwiatami, błaźnie, a nie wiadomość przysyłasz – mruknął Józek i wziął telefon do ręki. Jeden ruch palcem i sms znikł. – Odpiszemy mu, żeby spadał? – Spojrzał pytająco na braci.

– Nie przeginaj. Już za samo skasowanie przeprosin Weronika nas zabije.

– O ile się dowie.

Dowiedziała się. Za późno.

I długo się zastanawiała, czy powinna być Braciom Jot za to wdzięczna, czy ich przekląć…

Tamto wydarzenie na lecznicowym korytarzu i skasowanie sms-a od doktora Kochanowskiego miało znacznie poważniejsze reperkusje, niż mogło się wtedy wydawać. Pozytywne i negatywne, dodam.

Plus był taki, że ja, po raz drugi w moim krótkim życiu złamana przez faceta, mając dosyć miłości i zauroczeń na długi czas, zakopałam się w książkach. Nie, nie w romansach, by tam szukać podniet, a w podręcznikach. Bądź co bądź za kilka miesięcy miałam maturę, a jak zauważył Piotr, podpuszczony przez moją matkę, oceny zbierałam fatalne. Cóż rzec: jechałam na naciąganych trójach. Z nimi na studia się nie dostanę – rozumiałam to i bez wypominania, ale jeszcze wczoraj byłam zakochana, nie miałam czasu na naukę.

Teraz było go aż za dużo, bo przestałam chodzić do lecznicy. Nie mogłam się po prostu zmusić, by stanąć z doktorem twarzą w twarz. Co miałabym do powiedzenia: „Cześć, nadal żałuję, że mnie nie przeleciałeś. Może spróbujemy raz jeszcze?". Nie znałam przecież treści sms-a wykasowanego podle przez Braci Jot, w którym Piotr to właśnie mi proponował.

Oprócz nauki nie miałam więc nic innego do roboty. Nie byłam typem imprezowiczki, w szkole trzymałam się na dystans od koleżanek i kolegów, wstydząc się tanich ciuchów i domu, do którego nie mogłam przyjaciół zaprosić. Do chaty z karaluchami? Zapomnij. Do kawalerki na Powiślu? Już prędzej, gdyby za drzwiami nie czyhała moja matka, gotowa wpaść w odwiedziny i obdzielać moich gości wrednymi uwagami na temat ich strojów i zachowania. Raz spróbowałam, w moje osiemnaste urodziny. Nigdy więcej! Byłam więc dosyć samotna, jak na nastoletnie standardy, miałam tylko lecznicę z ukochanym doktorem i, przed przeprowadzką na Powiśle, trzech fajnych kumpli, Braci Jot.

Teraz, po odejściu z lecznicy, byłam samotna nie tyle dosyć, co do bólu.

Uciekłam w naukę.

I to się opłaciło. Maturę zdałam na czwórki i piątki – alleluja! – oprócz oczywiście języka polskiego, z którego dostałam, no któż zgadnie?, trzy z minusem. Wprawdzie na świadectwie tego minusa polonistka dopisać nie mogła, ale skwapliwie mi doniosła, że „musiałam ci go postawić, bo jak zwykle nie trzymałaś się tematu". Odetchnęłam z ulgą, że egzamin mam za sobą i uwagi tej jędzy również.

Przede mną były znacznie trudniejsze egzaminy, na których strasznie mi zależało... Jeśli zdam na weterynarię, będę wolna. Ojciec obiecał, że opłaci mi studia i utrzymanie w dowolnym mieście. Nie będę musiała już znosić niechcianego towarzystwa matki, będę mieszkała w akademiku, wśród rówieśników o podobnych pasjach, co ja, będę studiowała ukochany kierunek, a jeśli byłabym wciąż za mało zmotywowana... we Wrocławiu odsiadywał wyrok Wiktor.

Musiałam zdać!

Pisałam do niego. Po tym jak dwukrotnie odmówił rozmowy ze mną tam, w więzieniu na Kleczkowskiej, raz w miesiącu wyciągałam piękną papeterię, kupioną specjalnie na tę okazję, brałam długopis do ręki i przelewałam na papier wszystko, co mi w duszy grało i czym chciałam się z Wiktorem podzielić. Kończyłam list zawsze tymi samymi słowami: „Kocham Cię", po czym wkładałam go do koperty, naklejałam znaczek i wrzucałam... do małej, zabawkowej skrzynki na listy, którą kupiłam do tego właśnie celu. Jak można się domyślać, Wiktor nigdy nie odpisał na żaden z moich listów.

Również raz w miesiącu dzwoniłam do Zadry, żeby usłyszeć za każdym razem te same zapewnienia: Helert trzyma się. Przystosował się do więziennej rzeczywistości. Niczego mu nie brakuje. I, sorry, Nika, ale wciąż nie chce ciebie widzieć.

Czasem krótkie sprawozdanie okraszał czymś więcej, stąd wiedziałam, że Wiktor zatracił się w informatyce, kształci się w kierunku programowania i administrowania siecią, czymkolwiek to było. W Polsce internet wciąż raczkował, ja dopiero za rok, na dwudzieste urodziny, dostanę pierwszy komputer, jakże zacny AMD, natomiast mój ukochany – czy może były ukochany, nie miałam złudzeń co do faktu, że Wiktor wyrzucił mnie ze swego serca – już rozpracowywał internety... I zarabiał na tym, w więzieniu, a jakże, całkiem niezłe pieniądze.

Dzięki Bogu trafił za kratki po reformie przegniłego na wskroś systemu więziennictwa, kiedy w skazanych zaczęto widzieć ludzi, a nie wściekłe bestie. Skończyło się bicie i szykanowanie przez strażników, a nawet jeśli takie przypadki się zdarzały, nie były codziennością, jak jeszcze kilka lat wcześniej.

– Jeśli Helertowi nie odbije – kończył Zadra naszą rozmowę – ma szansę wyjść z szamba obronną ręką. Utytłany, ale niezatopiony.

Po każdym telefonie do tego człowieka czułam się spokojniejsza, ale i bardziej rozżalona. Ja o Wiktorze pamiętałam. Nadal na dnie serca tliło się uczucie, którego nie potrafiłam, i nie chciałam!, ugasić raz na zawsze. On widać wyleczył się ze mnie szybko i bezpowrotnie. Tak myślałam. Nie wiedząc, jak bardzo się mylę.

Egzaminy na studia zdałam całkiem nieźle i zostałam przyjęta. Na wydział weterynarii Akademii Rolniczej we Wrocławiu.

Zwariowałam ze szczęścia.

– Tak właśnie wygląda raj – odezwała się poważnym tonem Weronika. – Wykafelkowana na biało sala prosektorium, pośrodku duży stalowy stół, a na nim wielka, nadgniła, końska noga.

Kumple z grupy zwinęli się ze śmiechu. Ona, o dziwo, mówiła to całkiem na poważnie. Od kiedy została studentką wymarzonej weterynarii, zachwycało ją absolutnie wszystko, od nudnych wykładów ze statystyki – serio?! –

po arcyciekawe zajęcia z anatomii, na których preparowali końskie nogi. Mimo przetrzymywania w formalinie, rzeczywiście woniały zgnilizną, ale studenci szybko przywykli do tego zapachu, a nawet nim przesiąkli. Współmieszkańcy z akademików przywyknąć nie mogli, ale kto by się resztą świata przejmował?

Mieli siebie.

Tworzyli zgrane towarzystwo wzajemnej adoracji i najwyższego wtajemniczenia. Tylko oni rozumieli medyczno-zoologiczne żarty, często sprośne. Tylko ich bawiło, gdy kumpel z grupy podczas obiadu w studenckiej stołówce wyciągał z plecaka... kawałek końskiej nogi, śmierdzący formaliną. Niewielki, ot mięsień przywodziciel, na widok którego stołówkowe towarzystwo – z wyjątkiem tych oszołomów z weterynarii! – pozieleniało. Potrafili, niczym dzieci w piaskownicy, obrzucać się na zajęciach kawałkami ścięgien, wypreparowane kości podrzucać sobie nawzajem do łóżek, ale najlepiej im wychodziło – cały akademik był co do tego zgodny – picie.

Weterynaria bawi się! Pod tym hasłem spuszczone z rodzicielskiej smyczy dzieciaki oddawały się w każdy, każdziutki weekend pijackim balangom, przyprawiając sprzątaczki o płacz nad obwomitowanymi korytarzami, a rodziców o zgrzytanie zębów od ciągłych próśb o pieniądze.

Weronika, która natychmiast wsiąkła w studenckie towarzystwo, w libacjach udziału nie brała, bo alkohol ani trochę jej nie smakował, lecz mimo to bawiła się świetnie.

Znów była lubiana. Nie tylko przez kolegów, ale i wykładowców, bo uczyła się znakomicie. Po prostu uwielbiała wkuwać wszystko, co związane z wymarzonym zawodem, nawet statystykę, niech tam.

Dziewczęta, które stanowiły jedną trzecią weterynaryjnej braci, trzymały się razem przeciw męskiej większości. Weronika, zawsze uśmiechnięta, żywiołowa, gotowa biec z pomocą każdemu, kto jej potrzebował, a przede wszystkim – i to była znów jej główna zaleta – genialnie podpowiadająca, z miejsca stała się duszą towarzystwa. Jednym zdaniem potrafiła rozbawić grupę. Doprawdy, nie musiała nikomu podrzucać nadgniłych mięśni do plecaka.

Po zajęciach koleżanki porywały ją na zakupy – no, przynajmniej łażenie po sklepach, bo żadna z nich nie była zbyt bogata, ot zwykłe studenckie życie – co zwykle kończyło się w ich ulubionej kafejce „Słodkiej dziurce". Siedziały godzinami w zacisznych kącikach, na jakie podzielona była sala w podziemiach przedwojennej kamienicy, grzały dłonie o kubki aromatycznej kawy albo herbaty, zajadały się przepysznym domowym ciastem i… oddawały ploteczkom, tak słodkim i niewinnym, jak owa dziurka.

Chłopcy od razu, od pierwszego dnia, rozpoczęli te swoje męskie podchody i polowania, a mieli pole do popisu, bo nawet jeśli na weterynarii było mniej studentów płci pięknej, to na zaprzyjaźnionej zootechnice była ich zacna większość. Ci, którzy nie załapali się na koleżankę z roku, szli polować dwa piętra wyżej, gdzie rozlokowano tamten wydział.

Weronikę z miejsca upatrzył sobie Marcin, chudy, zawsze uśmiechnięty rudzielec, wyglądający jak typowy inteligencik: okularki, śnieżnobiały fartuch, bardziej pasujący do profesora chemii, niż przyszłego weterynarza, i oczywiście stetoskop, za którym wiecznie się rozglądał, bo miał on tę właściwość – stetoskop, nie Marcin – że znikał zaraz po tym, jak jego właściciel przekraczał progi uczelni. W pokoju trzymał się pana, na uczelni – przepadał. Marcin podejrzewał w tym niewidzialną rękę kolegów-dowcipnisiów, zwłaszcza, że znajdował swój stetoskop w tak absurdalnych miejscach jak damska toaleta – za szafką na przybory do mycia klozetów, szklany klosz u sufitu sali wykładowej czy klatka piersiowa psiego szkieletu, stojącego w szklanej gablocie pośrodku auli, ale nigdy żadnego za rękę nie złapał. Oni mieli radochę w wykradaniu mu słuchawek i chowaniu ich w najdziwniejszych zakamarkach, reszta roku w poszukiwaniach zguby. Weterynaria bawi się!

Do Weroniki Marcin przysiadł się zaraz na początku roku, na wykładzie z fizjologii. Zgadali się, że oboje pochodzą z Warszawy, co już łączy, oboje są na studiach z pasji i powołania. On chce specjalizować się w leczeniu koni, ona zaś… miała swoje plany, których nie chciała na razie zdradzać.

Był przesympatycznym gościem. Wychowywany w kulturalnej, prawniczej rodzinie, zamożniejszy niż większość z nich, stanowił tak dobrą partię, iż zaraz po pierwszej sesji, do której uczyli się razem, zanim Weronika zdążyła choćby pomyśleć o zakochaniu się, Marcinek został wyhaczony przez najładniejszą dziewczynę z całego roku, Małgosię Kucykównę.

Parę miesięcy później okazało się, że Małgosia jest w ciąży. Pierwszy rok weterynarii zaliczył więc pierwszą wpadkę i pierwszy, pospieszny ślub.

Weronika, nieco oszołomiona tempem wypadków, znów uciekła w książki. I samotność. Lecz nie za długo pobędzie na marginesie studenckiego życia, bo tuż przed sesją letnią pozna Jeremiego. A on przewróci w miarę spokojny i uporządkowany świat dziewczyny może nie do góry nogami – facet jest na to za nudny – lecz, powiedzmy, na bok.

Przynajmniej na początku.

ROZDZIAŁ XIII

JEREMI

Student pierwszego roku medycyny na wrocławskiej Akademii Medycznej, Jeremi Wiśniowski, pochodził z rodziny lekarskiej „od pokoleń". Kiedyś Weronika zauważy, że raczej od jednego pokolenia, bo dziadek chłopaka był zaledwie wiejskim felczerem, a babcia badylarką, na co Jeremi obrazi się śmiertelnie i dziewczyna będzie musiała czule go przepraszać, na razie jednak tak właśnie o sobie mówił: „jestem lekarzem z dziada-pradziada".

Jego rodzice wjechali do świata wrocławskich elit na przysłowiowej furze dzięki powojennej władzy, która faworyzowała masy robotniczo-chłopskie, prześladowała natomiast niedobitki szlachty i inteligencji. Gdy tylko dostali się na salony, zmienili nazwisko, bo przecież lekarzowi nie przystoi nosić przydomek Kołek. Pani Kołkowa, snobka co się zowie, umyśliła sobie, że pasuje im „Wiśniowiecki", ale urząd stanu cywilnego nie zgodził się na taką zmianę. Musieli się zadowolić „Wiśniowskim", co Weronikę – a Jeremi opowiadał o tym całkiem poważnie, z namaszczeniem niemal – szczerze rozbawiło. Wyciągali łapę po jabłko, dostali nadgryzione.

Do nazwiska dobrali sobie herb, a jakże, mimo iż koło rodu szlacheckiego jedynie przechodzili, a do herbu – syna, któremu dali na imię Jeremi Maria. Nie wiedzieć czemu to również dziewczynę śmieszyło. Jeremi Maria. Biedny dzieciak… Już chyba wolała swoje Nocyk. Nie miałaby nic przeciwko tym imionom, ale snobizm wywoływał u niej reakcję alergiczną, objawiającą się śmiechem. Jeremi Maria. Doprawdy… Z nazwisk nie wypada się śmiać, nie wolno!, no chyba że snoby leczą nimi swoje kompleksy. Wtedy dworujesz sobie ze snobów, nie z nazwiska.

Orbity Weroniki i Jeremiego – Jeremiego Marii – nie powinny się przeciąć. On mieszkał na stancji, niedaleko Akademii Medycznej, ona w akademiku. Lekarze pogardzali weterynarzami, weterynarze nic sobie z tego nie robili, ale bawili się we własnym towarzystwie. Naprawdę tych dwoje nie miałoby szans się spotkać, gdyby nie Marcin.

Ten, równie oszołomiony szybkim rozwojem wydarzeń, co jego niedoszła miłość, Weronika, jeszcze wczoraj wolny i swobodny studenciak wetu, jutro tatuś dzieciątka, które posiał w Małgosi Kucyk oraz jej przyszły małżonek, na tę radosną wieść spił się tak, że trafił na pogotowie. A tam wpadł na dyżur do ojca Jeremi Kołek. To znaczy Jeremi Maria. Jeremi Wiśniowski? Mniejsza z tym, on sam się czasem gubił.

Struty alkoholem Marcin zwierzył się w rozpaczy rówieśnikowi, że on nie jest jeszcze gotów na małżeństwo i rodzicielstwo! Jeremi zaczął go pocieszać, że nie taki diabeł straszny, ludzie znoszą przecież gorsze nieszczęścia, i dzięki temu załapał się na ślub.

Jeremi w pierwszą niedzielę czerwca wdział szyty na miarę przez warszawskich, a jakże, krawców garnitur, buty lśniące niczym czoło Chopina w Parku Łazienkowskim, do kieszeni wsunął kopertę ze skromnym datkiem – bądź co bądź prawie nie znał państwa młodych – i ruszył na piechotę przez pół miasta, bo dzień był piękny, do małego kościółka.

To Marcin wskazał mu tę uroczą, rudowłosą, zielonooką ślicznotkę... I jak Jeremi raz na nią spojrzał, tak nie mógł oderwać od niej wzroku. Kręcił się wokół Weroniki, otoczonej przez rozbawionych kolegów z roku, trochę nieśmiały. Pod koniec zabawy zdobył się wreszcie na odwagę i, nieco zamroczony alkoholem, podszedł do dziewczyny, stuknął obcasami, pochylił się nad jej dłonią i wypalił:

– Jestem Jeremi Maria Wiśniowski.

Oniemiała. Ale na szczęście nie parsknęła śmiechem. A może na nieszczęście?

– Weronika. Bez Marii. I nieco skromniej: Nocyk.

– Mogę cię odprowadzić? – zapytał szarmancko.

Uniosła brwi. Zataczał się tak, gdy do niej podchodził, że sam potrzebował holownika, nie odwrotnie.

– Przepraszam za to – wskazał na siebie. – Na co dzień nie piję i alkohol mi tak szybko do głowy uderza, że widzisz sama.

Widziała.

– Wracam z koleżankami – odparła, rozglądając się rozpaczliwie za jakąkolwiek, ale dziewczęta z jej akademika wciąż szalały na parkiecie w ramionach co przystojniejszych panów. – Chodźmy – westchnęła wreszcie z rezygnacją, bo wprawdzie wszyscy chłopcy na roku pili, i to dużo, i Weronika przywykła do towarzystwa nietrzeźwych młodych ludzi, ale niekoniecznie w ciemną noc, pośrodku opustoszałego miasta.

Mimo jej obaw Jeremi szybko wytrzeźwiał i okazał się całkiem miłym kompanem. Wysłuchał, co Weronika ma do opowiedzenia o sobie, choć niewiele tego było, bo nie zwykła się zwierzać nieznajomym, a potem zaczął opowiadać o dokonaniach swoich rodziców – ojciec był uznanym kardiochirurgiem, matka stomatologiem – najwyraźniej bardzo z nich dumny.

– Ja sam nie mam się czym chwalić, jeszcze nie, bo jedyne, co mi się na razie udało, to moje imię: Jeremi Maria.

Tu Weronika jednak się zaśmiała, będąc pewna, że on żartuje, ale pozostał poważny. Był snobem, ale na swój sposób uroczym. Oprócz dwóch oryginalnych imion, miał jeszcze jedną zaletę, która mogła wydawać się wadą, zależy jak na to spojrzeć: gdy upatrzył sobie cel, dążył do niego po trupach.

Tej nocy właśnie go namierzył.

Przedmiotem jego starań i ambicji stanie się śliczna, zielonooka Weroniczka.

– Kim są twoi rodzice, kochanie? – zapytała pani Genowefa, matka Jeremiego, w domu zwana pieszczotliwie Gienią, gdy zasiedli do stołu.

Weronika bowiem już w następny weekend po pamiętnym, pierwszym weterynaryjnym ślubie, została zaproszona do państwa Wiśniowskich na rodzinny obiad. Ubrana w skromną, ale ładną granatową sukienkę z czerwoną lamówką, od razu zyskała uznanie pana domu, teraz musiała ująć gospodynię.

– Mama jest… – Prokuratorem? Brzmi to fatalnie, zwłaszcza gdy się jest w towarzystwie zacnych lekarzy. – Mama jest prawnikiem – dokończyła zgodnie z prawdą, przyznając w duchu ze wstydem, że właśnie wyszła na małą, podłą snobkę.

Pani Gienia uśmiechnęła się z aprobatą.

– A tatuś?

Byłym milicjantem? To byłby dopiero szok…

– Marynarzem. Pływa na statkach dalekomorskich – tu Weronika również nie skłamała. Ojciec wprawdzie sprzątał na tych statkach, ale i pływał, prawda?

– Jakież to ciekawe! I romantyczne! – Matka Jeremiego klasnęła w wymanikiurowane ręce. – Nieprawdaż, Waldku? – zwróciła się do męża.

– Bardzo – przytaknął bez entuzjazmu. Gienka i te jej przesłuchania. Sama znalazłaby Jaremce narzeczoną, a nie zdaje się na tego niedorajdę, a potem magluje biedne dziewczęta niczym stalinowski prokurator.

– A gdzie rodzice mieszkają? – indagowała dalej pani domu.

– Mają kamienicę na Powiślu.

– Kamienicę?

Weronika poczuła, jak jej akcje rosną. I zaśmiała się w duchu. Nawet gdyby ona sama nie miała innych przymiotów, ta kamienica wystarczyłaby za wszystkie.

Pochylona nad pysznymi kopytkami z sosem pieczarkowym, które przed chwilą podała gosposia, nie zauważyła spojrzeń, jakimi nad jej głową wymieniła się ta trójka. Rodzice patrzyli na syna z aprobatą, on miał na twarzy dumę. I zaciętość. Zdobędzie tę dziewczynę. Za wszelką cenę.

Wziął Weronikę przez zasiedzenie. Tak po prostu.

Przychodził do akademika niemal codziennie, zaglądał do pokoju, który dziewczyna dzieliła z dwiema innymi, siadał sobie w kątku, nie wadząc nikomu i... przyzwyczajał ją do swojej obecności. Na początku wkurzał wszystkie trzy, ale po jakimś czasie zaczęły sobie radzić z namolnym gościem, umawiając się z sympatiami na mieście. Gdy jednak znów minęło parę miesięcy, a Jeremi zaczął stanowić fragment otoczenia, jak szafa czy przywiędła paprotka, zapomniały o nim.

Przypominały sobie, gdy nie przychodził.

Tak, wtedy czegoś w pokoju brakowało.

Droga do serca Weroniki okazała się długa i wyboista. Na drugim roku Jeremi omal jej nie stracił, gdy pojawił się konkurent w osobie Jaśka Grobli. Jasiek był rok od nich starszy, czarnowłosy i czarnooki – brzmi znajomo, prawda? – a co najważniejsze ćwiczył taekwondo i to wystarczyło, żeby dziewczyna się w nim zakochała. Od pierwszego wejrzenia.

Pojawił się na początku semestru po tym, jak przeniósł się na wrocławską weterynarię z Olsztyna. Na wykładzie z anatomii usiadł obok Weroniki i od słowa, do słowa zaprzyjaźnili się. A gdy zaprosił ją na trening i zobaczyła, co ten przystojny, świetnie zbudowany facet potrafi… Była jego.

Właściwie byłaby, gdyby nie pech: Jasiek Grobla zakochał się w innej.

Weronice, serdecznej przyjaciółce i tylko przyjaciółce, zwierzał się ze swej nieszczęśliwej miłości – ta inna kochała się również w kimś innym – prosił o dobre rady, jak odbić inną innemu, czym zwrócić na siebie jej uwagę, a Weronika… ona cierpiała w milczeniu. Znów ktoś jej nie chciał!

Powracały słowa, które kiedyś wypowiedziała w rozpaczy:

– Jestem jakaś przeklęta! Dlaczego nie mogę pokochać kogoś, kto będzie kochał mnie?!

A przecież był ktoś taki. Blisko. Pod ręką.

Tylko Weronika tego nie widziała. Jeszcze nie…

Jeremi nie wyróżniał się niczym, przeciętny do bólu, nijaki. Ani wysoki, ani niski. Ani szczupły, ani gruby. Włosy, już rzedniejące, miał koloru myszatego, cokolwiek to znaczy, nosił rogowe okulary, golił swą okrągłą, chłopięcą twarz na gładko, chociaż lekki zarost dodałby mu wieku i męskości, ubierał się w markowe ciuchy, owszem, ale boleśnie nietwarzowe i nijakie, jak on sam. Doprawdy… nie było w nim nic, na czym kobieta mogła zawiesić oko. Nie dziwota, że z czasem wtopił się w tło pokoju, w którym spędzał większą część życia.

Nauka również szła mu nijak. Rodzice, uznani specjaliści, dokonywali cudów, by przepchnąć go z sesji na sesję i z roku na rok. Musiały wędrować z rąk do rąk spore łapówki, żeby chłopak zaliczał kolejne przedmioty, bo umiał tyle, co nic. Jak będzie kiedyś leczył ludzi – ludzi, na Boga?! – tego nie wiedział nikt.

Weronika dla odmiany zdawała egzaminy śpiewająco. Nie tylko garnęła się do nauki i pochłaniała wiedzę zawartą w grubych tomiszczach, jak kornik pochłania Puszczę Białowieską, lecz miała również fenomenalną pamięć do nazw i liczb. Dawkowanie leków, opisy chorób, parametry życiowe kilku gatunków, anatomia psa i kury – to wszystko wchodziło dziewczynie do głowy ot tak, na pstryknięcie. Wystarczyło jedynie przysiąść nad materiałem, co uczyniła zaraz po kolejnym miłosnym rozczarowaniu, myśląc, że samotność jest jej być może pisana. Może to weterynaria ma stać się całym jej życiem?

Jednak młodość rządzi się swoimi prawami.

Któregoś wieczoru, gdy zostali w pokoju sami, Jeremi przysiadł na łóżku, gdzie dziewczyna, zwinięta pod kocem, wkuwała do zaliczenia. Uniosła głowę znad książki i spojrzała na niego zaskoczona. Prawdę mówiąc, zapomniała o jego obecności.

On delikatnie, acz bardzo stanowczo ujął jej dłoń, uniósł do ust i zaczął całować. Najpierw opuszki palców, jedną po drugiej, potem miękkie, delikatne wnętrze, aż dziewczynę przeniknął dreszcz. W pierwszej chwili chciała wyrwać rękę, krzyknąć: „Co ty wyprawiasz?! Oszalałeś?!", w następnej jednak poczuła, jak jej ciało reaguje na tę niewinną pieszczotę i… chce więcej. Zamarła bez ruchu, wstrzymała oddech. On zaczął ssać delikatnie jej palce, drugą rękę wsuwając we włosy dziewczyny. Wiedział, co robi. W tym temacie kształcił się gorliwie. Znał wszystkie strefy erogenne na ciele kobiety i właśnie na tych czułych strunach zaczął grać.

Weronika poczuła, że mięknie pod dotykiem jego ust i dłoni. Rozpływa się w narastającej przyjemności. Odrzuciła koc, którym wciąż była owinięta, i przylgnęła do Jeremiego całym ciałem. Zagarnął ją głodnymi dłońmi, ustami sięgnął do jej ust. Nie cofnęła głowy, spragniona bliskości bardziej, niż mogła przypuszczać. On pieścił dziewczynę łagodnie i czule. Szeptał najpiękniejsze zaklęcia. Każda chciałaby usłyszeć to, co Jeremi przyrzekał w ten cichy, jesienny wieczór Weronice.

Nie sięgnął po więcej. Chociaż potrafił. Sprawiał wrażenie życiowej sieroty i fajtłapy, ale w aspekcie seksu co nieco umiał. Rozpalił dziewczynę dotykiem i pocałunkami, po czym nagle wstał, ucałował szarmancko jej dłoń i... wyszedł, zostawiając ją niezaspokojoną, rozedrganą, nierozumiejącą, co się przed chwilą wydarzyło.

Padła na plecy. Zapatrzyła się w sufit. Oddech powoli się uspokajał, serce zwalniało. Umysł, otumaniony pożądaniem, wrócił do pracy. Może Jeremi był nijaki, cóż, nie każdy rodzi się Wiktorem Helertem, z jego urodą i charakterem, ale całował nie gorzej niż Wiktor. I miał jedną zaletę, której Wiktorowi brakowało: był tutaj. Pod ręką. I nie zamierzał odchodzić.

Na jednym wieczorze się nie skończyło.

Czy zdeterminowany na osiągnięcie celu Jeremi fundował współlokatorkom Weroniki przysłowiowe kino, czy zmywały się same z siebie, nie wiadomo. Grunt, że wieczorami pokój pustoszał, zostawał w nim tylko Jeremi. I jego cel.

Przysiadał na skraju tapczanu, jak gdyby nigdy nic, sięgał po dłoń Weroniki i zaczynał ją pieścić, przy czym robił to coraz odważniej i namiętniej, zaś dziewczyna przed samą sobą przyznawała się ze zdumieniem, że czeka na te wieczory. Rzucała siedzącemu w kątku chłopakowi niespokojne spojrzenia, do chwili aż za ostatnią z koleżanek zamknęły się drzwi, po czym patrzyła ogromniejącymi oczami jak on wstaje od stołu, podchodzi do łóżka i…

Miał ją.

Wiedział to od chwili, gdy po raz pierwszy to ona wykonała pierwszy ruch. Był cwany i znał się na rzeczy. Któregoś wieczoru nie wyszedł ze swojego kąta. Pozostał tam, mimo że pokój był pusty. Udając całkowicie pochłoniętego lekturą, co jakiś czas rzucał Weronice znad książki ukradkowe spojrzenia. I czekał.

Ona siedziała z podręcznikiem na swoim tapczanie, jeszcze przed kwadransem zgłębiając tajemnice fizjopatologii, teraz coraz bardziej rozkojarzona i napięta. Raz spojrzała na Jeremiego – ten czytał jakąś książkę, potem drugi raz… Nie mogła się skupić. Jej ciało domagało się pieszczot. Wreszcie zniecierpliwiona i łaknąca dotyku mężczyzny, wstała i podeszła do niego.

Z udanym zdziwieniem uniósł wzrok znad książki. Dziewczyna ujęła jego twarz w dłonie i zaczęła go całować. Mocno, głęboko, z takim żarem, z jakim nie całowała od lat. Zagarnął ją głodnymi dłońmi, posadził okrakiem na swoich kolanach, chwycił za pośladki i przycisnął do lędźwi. Bez chwili wahania zaczęła się poruszać zmysłowo, namiętnie i coraz szybciej. Ich ciała, mimo warstw odzieży, odnalazły wspólny rytm, pognały po spełnienie. Szarpnęła go za rękę, wbiła jego dłoń między swoje uda, by wreszcie, wreszcie… Krzyknęła cicho, zamarła w spazmie rozkoszy i wtuliła się w ciało chłopaka, wdzięczna do łez za spełnienie, którym ją obdarował.

Gdyby w tym momencie spojrzała chłopakowi w twarz, przeraziłaby się. I nie znalazłaby żadnego z uczuć, którymi sama płonęła. W oczach miał chłód myśliwego, który przed chwilą pociągnął za spust. Na ustach uśmiech satysfakcji. Właśnie dopiął celu. Weronika była jego.

Czy można pokochać kogoś przez wdzięczność? Za to jedynie, że ten ktoś jest? Szybko miałam się o tym przekonać. Jeremi podchodził mnie bardzo umiejętnie i cierpliwie. Stał się niezbędny. Nie tylko grał na moich uczuciach i pragnieniach, ale też na zwykłej potrzebie bliskości. On, w przeciwieństwie do Wiktora, Piotra, Marcina i Jaśka, po prostu mnie chciał.

Po dniu, w którym to ja przyszłam do niego, a nie on do mnie, staliśmy się parą. Zaczął nawiedzać nasz pokój już nie jako namolny kolega, a mój chłopak. Dziewczyny zmywały się codziennie koło dwudziestej, darowując nam dwie godziny sam na sam. Jeremi w chwili, gdy zamykały się za nimi drzwi, wpełzał pod koc na moim tapczanie i przez dwie godziny doprowadzał mnie ręką i ustami do obłędu. Nie mogłam już bez tego żyć. Uzależnił mnie od dłoni dającej rozkosz.

Chociaż pragnęłam więcej i więcej, gdy tylko próbował wsunąć mi rękę pod dżinsy… cofałam się w panice. Może moje ciało było gotowe na oddanie się temu mężczyźnie do końca, ale serce jeszcze nie. Ono wciąż pamiętało dotyk innych rąk, innych ust. Pamiętało szept innego głosu. I nie chciało zapomnieć.

Musiało to Jeremiego nieźle frustrować, chociaż nigdy nie poskarżył się ani słowem. Czasem doznawał spełnienia w moich ramionach, czasem wychodził, by zaspokoić głodną męskość własnoręcznie. Jeśli chciał odebrać mi niewinność, a do tego wszystko się sprowadzało, musiał uczynić coś więcej, niż przytulanki i całuski. I to pod koniec drugiego roku zrobił.

– Wyjdź za mnie – odezwał się pewnego wieczoru, gdy oboje odzyskiwali oddech po niedawnym spełnieniu.

Weronika, wtulona w chłopaka, poderwała głowę, zajrzała z niedowierzaniem w bure oczy.

– Wyjdź za mnie – powtórzył. – Kocham cię, nie wyobrażam sobie życia z żadną inną. Zostań moją żoną. Oświadczam ci się.

Wstał, przyklęknął obok łóżka, ujął dłoń dziewczyny, jak czynił to setki razy i wtulił usta w jej gorące wnętrze.

– Co ty na to, Nisiaku? – Tak do niej mówił.

Milczała, zaskoczona do granic.

– Ja... To chyba za wcześnie. Mamy po dwadzieścia jeden lat. Nie jestem jeszcze gotowa...

On nie słuchał do końca. Poderwał się z kolan, podszedł do krzesła, na którym wisiała jego kurtka, zarzucił ją na ramiona i wyszedł.

Weronika, oniemiała z szoku, została sama.

Znów sama.

Jak zawsze sama, sama, sama…

– Jeremi! – krzyknęła dziko i wybiegła za nim.

Dopadła go na schodach, odwróciła szarpnięciem do siebie i wpiła się ustami w jego usta. Nie odpowiedział na ten pocałunek. Zacisnął wargi.

Zajrzała błagalnie w jego oczy, lekko zmrużone, zimne.

– Zgadzam się – zaczęła szybko, żeby on nie zdążył się rozmyślić. – Masz rację, jesteśmy dla siebie stworzeni. Jest nam razem dobrze, najlepiej. Zróbmy to. Weźmy ślub.

Chłód zniknął z oczu chłopaka. Roześmiał się, jak gdyby nigdy nic. Chwycił dziewczynę w ramiona, ucałował w usta, potem w ręce.

– Zróbmy to. Jak najszybciej.

Jednak łatwo powiedzieć, trudniej wykonać. Zwłaszcza gdy rodzice pana młodego mówią stanowcze „Nie!”.

ROZDZIAŁ XIV

WERONIKA

– Synu, czy ciebie całkiem już pojebało? – zapytał konkretnym głosem pan Wiśniowski, z domu Kołek. – Nie będziesz się żenił z byle kim!

Jego żona posłała mu pełne przygany spojrzenie, po czym zaczęła niczym przekupka na targu, jeszcze bardziej napastliwie:

– Skąd ona się wzięła, ta cała Weronika? Nocyk. Co to za nazwisko? Nic o niej nie wiesz! Nie znasz jej rodziny. Korzeni. Przodków. Może ma morderców w rodowodzie albo…

– Nie żenię się z przodkami, tylko z nią – wpadł matce w słowo Jeremi, przeciągając głoski. – Nazwisko zmieni na nasze.

Zapadła cisza. Czekali aż ich jedynak przedstawi silniejsze dowody, świadczące za Weroniką, on jednak skończył temat.

– Nie wiesz, czy jest zdrowa, czy nie ma jakichś obciążeń genetycznych. Spotkałeś się z jej rodzicami? Matką? Ojcem?

– A po co? – Wzruszył ramionami. – Z nimi też się nie żenię.

– Trzymajcie mnie ludzie, bo mu wpierdolę! – Starszy Wiśniowski zacisnął pięści i zrobił krok w przód, bardziej strasząc, niż rwąc się do bicia. Młodszy spojrzał na niego tępym wzrokiem, jakby się czegoś naćpał. Niewykluczone, że tak było.

– Jestem pełnoletni, ona też. Ja was informuję o ślubie, a nie pytam o zgodę.

– Informuj, ale dlaczego z nią?! – Matka załamała ręce. – Znajdziemy ci jakąś miłą, grzeczną dziewczynę, może córkę doktora Kiełkowskiego? Ona byłaby odpowiednia…

– Nie trzeba. Sam sobie znalazłem. Córka Kiełkowskiego to pasztet. Na dodatek pół mojego roku ją zaliczyło.

– Jeremi!

– Taka prawda, mamo. A Weronka jest nietknięta. Dziewica.

– Skąd wiesz?

Wzruszył ramionami.

– Wiem.

Rzeczywiście, Marcin zdradził mu ten sekret na swoim ślubie. Pokazał mu z daleka uroczą, rudowłosą dziewczynę, szepnął: „Dziewica do wzięcia” i pchnął Jeremiego w jej stronę. Tak się to zaczęło. Jeremi brzydził się przechodzonymi dziewczynami i swego czasu, gdy obśmiała jego seksualną niezaradność taka jedna, doświadczona, przysiągł sobie, że ożeni się z dziewicą i już on ją sobie wyedukuje. Zacne, prawda?

– Dziewica, niedziewica, do naszej rodziny nie wejdzie – uciął doktor Wiśniowski.

– Wejdzie, wejdzie – odrzekł jego syn, nic sobie z pogróżek ojca nie robiąc.

– Rób, co chcesz, ale my jej nie zaakceptujemy! To mezalians!

– Pochodzi z nizin społecznych, jak my sami – zauważył Jeremi.

Wiśniowski wciągnął powietrze. Nie znosił, gdy mu przypominano o kułackim pochodzeniu. W swoich oczach był szlachetnie urodzony. Miał herb! Co z tego, że malowany na zamówienie w pracowni podrzędnego plastyka.

A Jeremi ciągnął dalej, coraz bardziej zadowolony:

– I coś tam jednak wiem o jej pochodzeniu. Matka jest ex-prokuratorem, ojciec byłym milicjantem.

Pani Gienia... popłakała się. Usiadła, zakryła oczy dłońmi i zaczęła łkać. Jej mąż milczał jak ogłuszony, po czym zaczął groźnym tonem:

– I to cię kręci, synu? Prokuratorka i zomowiec? Może dwie dekady temu byłoby to dobrze widziane, ale dziś, po pieriestrojce? Prosisz się o kłopoty! Jak niby chcesz skończyć studia i zacząć praktykę lekarską z żoną, co ma ojca zomowca i matkę reżimową prokurator? Nie będziemy w nieskończoność cię holować! Wiesz, ile nas kosztują twoje egzaminy?!

– Mówiłem, że medycyna jest nie dla mnie. Chciałem zostać mechanikiem…

– Może od razu złomiarzem, co?!

Jeremi wzruszył ramionami.

– Uparłeś się na medycynę, więc cóż: płacz i płać. Zawsze mogę rzucić studia – dodał chytrze.

Matka od razu spuściła z tonu.

– Jaremka, tylko bez pochopnych decyzji. Żona to jeszcze nie koniec świata. I nie powód, by niszczyć sobie życie, swoją przyszłość.

– Jeśli przerwiesz studia, nie dostaniesz od nas ani grosza! – zagroził Wiśniowski.

Jeremi uśmiechnął się tylko.

– Wtedy zostanę mechanikiem i będę w złotych butach chodził.

– Dobrze więc! Zgoda! Żeń się z tą dziewczyną, ale studia skończysz!

Genowefa Wiśniowska zakończyła stanowczo tę dyskusję, bo jeszcze chwila, a jedynak gotów spełnić groźbę. Synową, która wkrótce może się Jaremce znudzić, oby jeszcze przed ślubem, jakoś przeboleje. Syna-złomiarza by nie zniosła. Córka zomowca i prokuratorki... Ludzie kochani, na co jej przyszło…! Genowefa znów załkała, ale tylko w duchu.

– Moi rodzice nie są zachwyceni – mówił Jeremi wieczorem do dziewczyny. – Ale wiesz, jak to jest. Ukochany jedynak, żadna nie jest wystarczająco dobra. Przejdzie im. Potrafisz ich przecież do siebie przekonać.

Bez entuzjazmu skinęła głową. Do tej pory nie przyszło jej do głowy, że razem z Jeremim, dostaje w pakiecie drugą rodzinę. Jego matkę, ojca, ciotki, wujków, dziadków… Powinno ją to cieszyć, bo własnej prawdę mówiąc nie miała. Matka nie odezwała się ani słowem od czasu, gdy Weronika wyjechała na studia, odkładała słuchawkę, gdy tylko rozległ się w niej głos córki. Ojciec ponownie przepadł i też nie dawał znaku życia. Gdyby nie pieniądze, które co miesiąc wpływały na konto dziewczyny, mogłaby uznać, że nie ma ojca. Powinna była więc cieszyć się, że wychodzi za chłopaka, który pochodzi z dobrego domu. Z pełnej rodziny. Pytanie, czy ta rodzina ucieszy się z niej?

Już wiedziała, że będzie trudno.

Jeremi miał jednak dar przekonywania:

– Niedługo skończymy studia i pójdziemy na swoje. Nie musimy mieszkać ani z moimi starymi, ani z twoimi. Ty będziesz weterynarzem, ja internistą, poradzimy sobie bez ich łaski.

Niby tak. Weronika nie bała się o pieniądze. Nie dawniej jak wczoraj, zaproponowano jej staż w przychodni dla zwierząt. Płatny skromnie, ale jednak. Ona pracę znajdzie wszędzie. Zarobi i na siebie, i na Jeremiego, który powołania do zawodu lekarza raczej nie przejawiał. Jakim cudem w ogóle zaliczał egzaminy, przesiadując dzień w dzień u niej w akademiku?

„To nie cud, a forsa rodziców", odpowiadała sobie w duchu i… średnio się jej to podobało. Może przez studia go przepchną, ale kto zatrudni lekarza, który umie mniej niż nic?

Musiał wyczuć rozterki dziewczyny, prawdę mówiąc, miała je od dnia, w którym przyjęła oświadczyny. Miał na to niezawodny sposób, który uskuteczniał za każdym razem, gdy Weronika wymykała mu się z rąk: zaczął ją pieścić. Namiętnie, niemal brutalnie, z jakąś dziką zaciętością. I jak zwykle udało mu się doprowadził ją do tego, że zaczęła błagać o szybszy ślub...

Tak, Jeremi stał się Weronice niezbędny do życia. Jej młode ciało było głodne pieszczot, a serce miłości. Jednak gdy zostawała sama i niewidzącym wzrokiem wpatrywała się w ciemność za oknem, wątpliwości wracały. I może wygrałyby ze zwykłym pożądaniem i obawą przed samotnością, może Weronika odważyłaby się zerwać te nieszczęsne zaręczyny, gdyby na horyzoncie nie pojawił się on. Wiktor.

– Musimy się spotkać. Jak najszybciej – rzekła, mocno ściskając słuchawkę telefonu, gdy tylko Zadra odebrał.

– Stało się coś? – usłyszała po drugiej stronie jego obojętny głos.

„Stanie się! I to już niedługo!", pomyślała w panice.

Był koniec czerwca, za trzy miesiące będzie za późno! Na pierwszą sobotę października Jeremi wyznaczył datę ślubu.

Gdy Weronika była z nim, ze swoim narzeczonym, wszystko wydawało się w porządku. Kochała go coraz bardziej, czy może coraz bardziej była wdzięczna, że on przy niej jest, kocha Weronikę całym sercem, pragnie jej, nie uciekł, nie porzucił i wciąż chce się z nią żenić.

Lubiła przebywać w jego cichym towarzystwie, bo nadal nie rzucał się w oczy, wciąż nijaki. Dawał jej poczucie bezpieczeństwa, za którym tak bardzo tęskniła. Gwarantował spokojną, pewną przyszłość, szczególnie od czasu, gdy jego rodzice wreszcie zgodzili się na to małżeństwo i znów zaczęli zapraszać Weronikę co tydzień na rodzinne obiady.

W obecności państwa Wiśniowskich czuła się skrępowana, wiedziała, że nie do końca akceptują ją jako wybrankę jedynaka i przyszłą synową. Byli wobec niej uprzedzająco grzeczni, a ona ze wszystkich sił starała się zasłużyć na ich sympatię, jednak prawdziwej serdeczności między Weroniką a doktorstwem nie było. Dziewczynę drażniły snobizm i wyniosłość pani Genowefy, tę z kolei denerwowała spontaniczność Weroniki, energia, jaką wnosiła w ponure i zimne ściany domu Wiśniowskich, śmiech, jakim wybuchała przy byle okazji, całe to zamieszanie, jakie spowodowała w spokojnym, przewidywalnym do bólu życiu doktorostwa. Kobieta nie miała wątpliwości, że jej niewinny synuś padł ofiarą ambitnej dziewczyny, to ona go uwiodła, nie odwrotnie!

Ojciec Jeremiego zdawał się być bardziej przychylny i dziewczynie, i jej małżeństwu z Jeremim. Wszystko, co denerwowało Genowefę, doktor Wiśniowski wyraźnie cenił. Wiedział, że Weronika jest bystra, uczy się znakomicie i wiele w życiu osiągnie. W przeciwieństwie do jego syna, który ambicji zawodowych nie przejawiał, na medycynie był z musu, nie z wyboru i nie próbował nawet udawać, że pilnie studiuje, dziewczyna doktorowi w pewnym sensie imponowała, do czego nie przyznałby się nawet na torturach, a na pewno nie przy swojej żonie.

Wiśniowski lubił również patrzeć na młodą kobietę, na szczery, ciepły uśmiech, który rozjaśnia zielone oczy, kasztanowe włosy, które nosi splecione w warkocz, niczym panna ze starych rycin, zgrabne ciało – nieco za szczupłe, jak na jego gust – które Weronika odziewała we własnoręcznie szyte bluzki, spódnice i sukienki, nieco staroświeckie, powłóczyste i tak bardzo do niej pasujące… Wydawała się przeniesiona z innej epoki, innego świata. Świata, który został rozjechany przez szwabskie czołgi, a potem powtórnie, przez czołgi sowieckie. Nie dał jednak po sobie poznać, że w cichości ducha nie tylko akceptuje związek Weroniki z Jeremim, ale wręcz mu przyklaskuje, z nadzieją, że dziewczyna wykrzesze w chłopaku choć trochę ambicji czy woli walki. Facet musi być przecież lepszy od swojej żony! W czymkolwiek, do cholery!

Weronika domyślała się owych rozterek, targających jej przyszłymi teściami i po każdym obiadku, upływającym w dusznej atmosferze, sama nabierała wątpliwości, czy ten ślub jest rzeczywiście dobrym pomysłem.

Jeremi przekonywał swymi namiętnymi ustami i gorącymi dłońmi, że tak, ale…

– Musimy się spotkać – powtórzyła twardo.

Nie widziała się z Zadrą od dnia, w którym doktor Kochanowski wyrzucił go z lecznicy. Wieki temu…

Wspomnienie Piotra zabolało. Z nim też będzie chciała się spotkać. I jeszcze z Braćmi Jot. Musi pożegnać się z przeszłością. Z przyjaciółmi. Zupełnie, jakby pierwszego października miała umrzeć, a nie rozpocząć nowe życie jako szczęśliwa żona u boku kochającego męża.

Dwa dni później usiadła w „Słodkiej Dziurce" naprzeciw mężczyzny i rzuciła:

– Wychodzę za mąż.

Zadra uniósł brwi, zaskoczony. Weronika miała dwadzieścia jeden lat, można się było spodziewać, że kręcą się wokół ślicznej wiewióreczki tabuny facetów, ale od razu za mąż?

– Kim jest szczęśliwy wybranek? – zapytał powoli, pilnując, by w jego głosie brzmiała uprzejma obojętność.

– Student medycyny. Syn znanych lekarzy.

– Dobra partia.

– Nie wychodzę za partię – prychnęła.

– Kochasz go? – musiał wiedzieć.

– Kocham – odparła twardo, bez chwili zawahania.

Uśmiechnął się krzywo i rzucił:

– Tak jak Helerta?

Aż zgrzytnęła zębami. Nie wiadomo, czy na dźwięk tego nazwiska, czy na ten wredny uśmiech.

– Inaczej, niż Wiktora, ale równie mocno – rzekła dobitnie. – Chciałabym się z nim spotkać. O moim ślubie powinien usłyszeć ode mnie.

– Roisz sobie, że na tę rewelację Helert rzuci ci się do stóp i będzie błagał, byś na niego czekała?

Zmrużyła oczy, w których zapłonął zimny blask i wycedziła:

– Nic sobie nie roję. Nie mam żadnych złudzeń ani nadziei.

A jednak miała. Po to przecież wymogła na Zadrze to spotkanie. Przez chwilę mierzyli się mało przyjaznymi spojrzeniami.

– Kiedy się hajtasz? – zapytał od niechcenia.

– Za trzy miesiące.

– Tak szybko? – Zmierzył dziewczynę pytającym wzrokiem. – Musisz czy chcesz?

Wciągnęła powietrze i policzyła do dziesięciu, po czym odparła:

– Chcę. Nic by mnie nie zmusiło do poślubienia kogoś, kogo nie kocham. Nawet wpadka.

Pokiwał głową, zamieszał łyżeczką w wystygłej kawie.

– Helert nie będzie zachwycony... – odezwał się po dłuższej chwili.

– Wiktor ma mnie gdzieś – ucięła.

Rzucił jej szybkie spojrzenie. Wiedział, że dwukrotnie

próbowała zobaczyć się z chłopakiem. Przyszła do więzienia w godzinach odwiedzin – musiało to być trudne dla tej niewinnej duszyczki – i prosiła o widzenie z Helertem. Spotkała się z odmową. Raz niepokorny szczeniak siedział w karcerze. Żeby do drugiego razu nie doszło, musiał interweniować on, Zadra. Tych dwoje nie mogło się spotkać! Nie w pierwszym roku odsiadki!

Ona usłyszała, że Wiktor nie życzy sobie widzeń. Ten natomiast został przeniesiony do Bydgoszczy, o czym dziewczyna nie miała pojęcia. Listy, które na początku przychodziły do wrocławskiego więzienia, były odsyłane. Co działo się z listami, które Helert pisał do Weroniki? A pisał... Cóż, trafiały pod niewłaściwy adres i również wracały do nadawcy. Wreszcie oboje – i ona, i on – się poddali.

Dziś Weronika przychodzi z rewelacją, że za trzy miesiące będzie żoną jakiegoś doktorka. Jeszcze tylko przekazać tę radosną wiadomość Helertowi i można otwierać szampana.

– Chcę się spotkać z Wiktorem – powtórzyła.

– Pytanie, czy on chce cię widzieć...

Na te słowa, które zabolały jak mało co, nie znalazła odpowiedzi.

– Poproś go w moim imieniu – rzekła.

Wstała i nie żegnając się z Zadrą, którego nienawidziła w tej chwili z całego serca, wyszła z kafejki. Na zewnątrz wzięła głęboki oddech i zamrugała, chcąc odpędzić z oczu łzy. Nawet jeśli była Wiktorowi całkiem obojętna, pragnęła ujrzeć go ostatni raz.

ROZDZIAŁ XV

WIKTOR

Studenci wysypali się z auli wykładowej i rozgadaną gromadą płynęli szerokim korytarzem. Weronika była wśród nich. Zaśmiewała się właśnie z dwuznacznych żartów Marcina, gdy… śmiech zamarł dziewczynie na ustach. Zatrzymała się jak wryta, nie wierząc własnym oczom. Zabrakło jej oddechu.

Był tam! Oparty niedbale o ścianę, z rękami splecionymi na piersiach, stał on, Wiktor Helert.

– Wyglądasz, jakbyś zobaczyła ducha – dobiegł ją głos przyjaciela. – Znasz tego gościa?

Oboje patrzyli na krótko ostrzyżonego, muskularnego mężczyznę, o ostrych rysach twarzy, mocno zaciśniętej szczęce i policzkach pokrytych parodniowym zarostem. Czarne oczy wbił w ścianę przed sobą, wiedząc, że nie pasuje ani do tego miejsca, ani do towarzystwa. Miał pewność, że ta, na którą czeka, na pewno go zauważy i – jeśli będzie tego chciała – podejdzie. Jeśli nie... To nie.

– Cześć, Nisiaku – cmoknięcie w policzek, mokre i zimne, wyrwało dziewczynę ze stuporu.

„Nie teraz!", zaskowyczała w duszy, nie mogąc oderwać oczu od Wiktora.

– Mam dla ciebie niespodziankę – odezwał się Jeremi zadowolonym z siebie głosem. – Dostałem od starych forsę. Zgadnij na co?

Nie chciała zgadywać, nie chciała wiedzieć! Pragnęła być teraz sama. Z Wiktorem. Tylko ich dwoje. Tutaj, w ciemnym korytarzu. Reszta świata choć raz mogłaby przestać istnieć.

W tym momencie on oderwał wzrok od ściany, omiótł barwny tłum uważnym spojrzeniem i... wbił czarne oczy w Weronikę z taką siłą, że aż się zachwiała. Nogi się pod nią ugięły. Zrobiła krok w jego kierunku i wpadła na Jeremiego.

– Ej, Nisiaku, co z tobą? Nie jesteś ciekawa?

Wyminęła go jak zahipnotyzowana i chciała ruszyć ku tamtemu, ale Jeremi szarpnął ją za ramię z powrotem. Oprzytomniała, zamrugała, jakby chlusnął jej zimną wodą w twarz.

– Co mówiłeś? – zapytała słabym głosem.

Jeremi nie zdążył odpowiedzieć.

Ciężka dłoń chwyciła go za bark, palce zacisnęły się jak kleszcze. Stęknął z bólu i próbował się wyrwać, ale intruz trzymał mocno i syczał:

– Nie szarp jej, cwelu, bo za chwilę zęby będziesz zbierał z podłogi.

Jeremi oniemiał. Spojrzał spłoszony na Weronikę, która nagle pobladła.

– Puść go, Wiktor, proszę.

Palce rozwarły się. Jeremi, odepchnięty na ścianę, potarł ramię, nie spuszczając wzroku z tych dwojga: swojej narzeczonej i faceta o wyglądzie bandziora, którego ona najwyraźniej znała. Facet mierzył go lekko zmrużonymi oczami. Był w nich chłód, co zrozumiałe, ale i pogarda.

– Wiktor...

Dotknięcie w ramię i dźwięk jej głosu, miękkiego, kochanego, za którym tęsknił przez wszystkie te samotne dni, sprawiły, że zapomniał o mendzie, która nią szarpała, zapomniał o przyglądającym mu się tłumku studentów. Była tylko ona, Weronika. Starsza o trzy lata, wyższa i jeszcze szczuplejsza, niż w dniu, w którym widział ją po raz ostatni, i piękna – czy to możliwe, że mogła być jeszcze piękniejsza, niż w jego marzeniach? – tak, aż bolało. Gdyby nie zakochał się w jej złoto-zielonych oczach dawno temu, gdy był jeszcze gnojkiem, uczyniłby to teraz. W tej chwili.

Dłoń sama dotknęła jej policzka. Gestem tak czułym, że...

– Łajzo, trzymaj łapy przy sobie! – Typek, którego przed chwilą rozsmarował na ścianie, przyskoczył do Wiktora i chwycił go za rękę. – To moja narzeczona, a za trzy miesiące żona, tak, żona! Jaki palant zdziwiony, myślałby kto!

Wiktor patrzył to na niego, to na Weronikę ogromniejącymi oczami.

Żona?! Weronika żoną tego... tego... Żoną?!

„Zaprzecz! Powiedz cwelowi, żeby spadał, a potem zaprzecz każdemu kurewskiemu słowu, które cwel wypowiedział! Błagam, Nisia, powiedz, że ta menda łże!", krzyczały czarne oczy.

Ona zwróciła się do tamtego.

– Jeremi, to Wiktor, mój dawny... kolega. Jeszcze z podstawówki – zaczęła cicho, ważąc każde słowo. Jedno za dużo i dzień, który zaczął się całkiem niewinnie, zakończy się katastrofą.

„Kolega?!", oddech uwiązł Wiktorowi w krtani.

Ona nadal patrzyła na Jeremiego błagalnie.

– Zostawisz nas? Pójdziemy do kafejki, powspominamy szczenięce lata...

– O czym chcesz gadać z bandziorem, który wygląda, jakby przed chwilą urwał się z pierdla? – wypalił Jeremi i w następnej sekundzie zawisł pięć centymetrów nad ziemią, pochwycony za przód koszuli, jak byle szczeniak. Zacisnął powieki, widząc mknącą ku twarzy pięść. Weronika wpadła między nich.

– Wiktor, nie! Daj spokój! – Zawisła na jego ramieniu. – Co ty wyczyniasz?! Puść go!

Mijający ich ludzie patrzyli na tę trójkę z mieszaniną zdziwienia i ciekawości. Nie co dzień na uczelnianym korytarzu trafia się przepychanka o kobietę, ale nie wypadało zatrzymać się, otoczyć dwóch najwyraźniej szykujących się do mordobicia facetów i zagrzewać ich do walki, jak za dawnych, licealnych czasów.

– Trzymaj łapy przy sobie, skurwielu! – syknął Jeremi. – Myślisz, że możesz nimi, ot tak, wymachiwać?! To uczelnia, nie burdel! Wezwę ochronę i wylecisz stąd na zbitą mordę!

– Zamknij się! – krzyknęła Weronika, doprowadzona do ostateczności. – A ty się opanuj! – naskoczyła na Helerta. – Jeżeli mamy porozmawiać, to na spokojnie, bez durnych, samczych gestów nie wiadomo czego!

On uśmiechnął się ironicznie, mimo że w środku zwijał się z bólu.

– Pod warunkiem, że chcę jeszcze z tobą rozmawiać, przyszła pani... jak się nazywa narzeczony? Zresztą, czy mnie to obchodzi? – Machnął ręką. – Widzę, że pojawiłem się w złym miejscu o złej porze. Żegnam państwa młodych.

Odwrócił się na pięcie i ruszył przed siebie, zaciskając szczękę coraz mocniej. Ach, jakby się chciało przywalić z pięści eunuchowi, który ma się żenić z Weroniką. Jego Weroniką.

To niemożliwe! Po prostu niemożliwe, że ona wpadnie w łapy tej zniewieściałej mendy!

– Wiktor! – słyszy krzyk ukochanej dziewczyny.

– Jeśli teraz za nim pobiegniesz, możesz nie wracać – zimno syczy jej narzeczony.

Ona stoi pośrodku korytarza, rozdarta między miłością jej życia, która niczego dobrego nie przyniesie, a obietnicą bezpiecznej przyszłości. Odwraca się do Jeremiego.

– Muszę, rozumiesz?! Po prostu muszę się z nim pożegnać!

– Więc możesz nie wracać – ten powtarza takim tonem, że Weronika wie, ma całkowitą pewność, iż mówi całkiem serio.

Teraz, w tej chwili, musi dokonać wyboru: ktoś, kogo właściwie nie zna, bo co ona może wiedzieć o Helercie, który ma przed sobą jeszcze dwa lata odsiadki, jaką może mieć pewność, że więzienie nie uczyniło z niego bandyty?, i dobry, porządny człowiek, który trwa przy niej wiernie od dwóch lat. Jeremi. Jej przyszły mąż.

Weronika staje pośrodku korytarza. Oczami pełnymi łez patrzy, jak Wiktor odchodzi. Nie może tego znieść! Serce rozsypuje się na krzyczące z bólu drzazgi. Zrywa się do biegu, a jednak!, ale zatrzymuje ją ramię Jeremiego. I jego ciche słowa:

– Nisiaku, kocham cię. Zostań ze mną.

Gdyby na nią warknął, gdyby powtórzył: „Możesz nie wracać!", wyrwałaby się i pobiegła za oddalającą się miłością, ale ten czuły głos, który słyszy od tak dawna, zatrzymuje ją w miejscu. Nie ma przyszłości dla niej i dla Wiktora.

Słońce nagle gaśnie. Wraz z nim umiera nadzieja.

Gdy ujrzał ją na uczelnianym korytarzu, nieomal się rozpłakał. On, twardziel, zahartowany przez więzienne cele, karcery, współosadzonych i klawiszy, musiał walczyć ze łzami.

Była taka śliczna, szczęśliwa, uśmiechnięta, taka… jego. Przystawiał się do niej jakiś typek, Wiktor w pierwszym momencie aż zacisnął szczęki, ale gdy przekonał się, że ona nie jest zainteresowana, że to tylko kumpel z roku, musiał się uśmiechnąć.

Kto nie uległby czarowi jego Weroniczki?

Czekał, aż ona go zauważy i… bał się.

Kogo w nim odnajdzie? Przyjaciela z dawnych lat? Pierwszą miłość? Czy jeszcze pamiętała, jak bardzo ją kochał? I jak ona kochała jego?

Stał oparty o ścianę i patrzył jak z każdym krokiem dziewczyna zbliża się do niego.

Czy w ogóle będzie chciała z nim rozmawiać?

Nie pasował tutaj. Nie pasował do świata zwykłych ludzi, wolnych ludzi, młodych studentów weterynarii, szczęśliwych, że mogą robić to, co chcą. Jego świat ograniczały mury, zasieki i stalowe drzwi celi, a wolność miała wymiary metr na dwa. Tej wielkości była jego prycza. „Przyjaciółmi" byli mu nie radośni studenci weterynarii, a najgorsi degeneraci. Brutalni… bezwzględni… liczący się tylko z silniejszymi.

Starał się pozostać dobrym człowiekiem – cokolwiek znaczyło to w tym brudnym, zepsutym świecie – dla niej, dla Weroniki.

Od Zadry, zgodnie z niepisaną umową, co miesiąc dostawał raporty: dziewczyna jest bezpieczna, ma pieniądze na życie, nie chodzi głodna. Studiuje – tego dnia, gdy dostała się na wymarzoną weterynarię, był tak szczęśliwy jej szczęściem, że upił się pędzonym potajemnie bimbrem, trzy dni w karcerze go to szaleństwo kosztowało.

Przez dwa lata był przez Zadrę karmiony uspokajającymi wiadomościami w zamian za dotrzymywanie przyrzeczenia: on sam, Wiktor, trzyma się od Weroniki z daleka. Nie próbuje nawiązać kontaktu, nie pisze do niej, nie dzwoni – zupełnie, jakby znał adres czy numer telefonu. Listy, które ukradkiem wysyłał na jej adres domowy, wracały z dopiskiem „Adresat nieznany". Nie wiedział nawet, gdzie Weronika studiuje! Dopiero, gdy Zadra wysłał mu zdjęcie, pstryknięte z ukrycia komórką, Wiktor rozpoznał wrocławski rynek i poczuł ciepło w sercu. Była tu, tak blisko…

Przenieśli go do Bydgoszczy. Ponoć za karę. Ostatnie mordobicie, w którym brał udział – sorry, lecz albo dawał w mordę, albo brał, taki klimat – nie spodobało się naczelnikowi na tyle, że wyprosił krnąbrnego pensjonariusza z zacnych progów wrocławskiego więzienia.

Mówi się trudno.

Zadra miał obowiązek dostarczać Wiktorowi informacje, gdziekolwiek ten by się znajdował. Nawet na Księżyc, jeśli tam w końcu by go wyekspediowano.

Weronika na zdjęciach była taka… normalna. Tęsknił za nią i za tamtym światem, na razie nieosiągalnym, i uczył się. Pilnie, zawzięcie się uczył. Nowych technologii, nowych kodów i programów. Koordynator klepał go po plecach: „Jesteś dobry, Helert, tak trzymaj, a będziesz miał swoją Weronikę".

Była całym jego światem. Jedynym powodem dla którego rano zwlekał się z więziennej pryczy. Gdyby nie ona, dawno powiesiłby się na skręconym w powróz prześcieradle, bo ten świat nie był jego światem. Jedynie ona...

Gdy zobaczył, jak podchodzi do niej jakaś menda i szarpie jego świętość, jego Weroniczkę, po prostu wyszedł z siebie.

Dopadł mendy, pouczył, jak nie wolno z Weroniką postępować i co skurwielowi zrobi, gdy ten jeszcze raz podniesie na nią rękę.

Wtedy padło słowo „żona". Gdyby ten gnój wbił mu pięść w krtań, Wiktor odczułby to chyba lżej. Nie uwierzył mendzie, ale... Weronika nie zaprzeczyła. Nie wyśmiała gogusia, cwela pierdolonego, nie krzyknęła: „Co ty bredzisz, kretynie?!", stała się za to jednym wielkim poczuciem winy. A tamten jątrzył... Wyzwał Wiktora od bandziorów, ona nie zaprzeczyła. Nie rzuciła się mendzie do oczu z pazurami, nie stanęła po jego stronie barykady, jak zawsze, gdy musieli walczyć z całym światem. Powiedziała o nim, Wiktorze, „kolega". Kolega z dawnych czasów.

Rozsypał się na kawałki. Umarł. Przestał istnieć.

Weronika, jego miłość, jedyne co trzymało Wiktora przy życiu przez wszystkie te parszywe lata, właśnie się go wyrzekała.

Pożegnał się z nią uprzejmie, do końca trzymając fason, i odszedł. W pierwszej chwili pewien, że ona nie pozwoli mu na to, zatrzyma go, pierdolić skurwiela, co rzuca szantażem „albo on, albo ja", ale Weronika... zostaje z tamtym. Pozwala Wiktorowi zniknąć z uczelnianego korytarza i ze swego życia. Zatrzaskuje drzwi do przyszłości z nim, Wiktorem, który – o czym ona nie wie – lada dzień wyjdzie na wolność, wybierając tamtego...

Tej nocy Wiktor nie wróci z przepustki. Będzie próbował się zabić, ale gończe psy wyczują to w porę.

Tej nocy raz na zawsze wyzbędzie się złudzeń.

Tej nocy nadzieja na to, że kiedyś będzie normalnym człowiekiem, któremu pozwolą na odrobinę szczęścia u boku ukochanej kobiety, zgaśnie raz na zawsze.

A rano wzejdzie słońce bez promieni...

ROZDZIAŁ XVI
WERONIKA

Weronika płakała całą noc. Nie, to nie był płacz, tylko wycie śmiertelnie rannego zwierzęcia. Szlochała, krzyczała, łkała tak strasznie, aż nad ranem straciła siły i głos. I ucichła. Dopiero teraz przyjaciółka, u której się ukryła, mogła ją przytulić i zapytać, co się stało. Umarł jej ktoś bliski?

„Zabiłam naszą miłość!", chciała wykrzyczeć, ale z gardła nie wydobył się nawet szept.

– Zerwałaś z Jeremim?

Zaprzeczyła. Nikt nie wiedział o Wiktorze. Był jej tajemnicą. Wstydliwą tajemnicą. Jak mogła przyznać się dzieciakom z dobrych domów, że jej ukochany siedzi w więzieniu, że oddała serce recydywiście?

Zuzka, która trwała przy niej całą noc, pokręciła głową.

– Miałam nadzieję, że jednak zerwałaś – odezwała się powoli.

Weronika spojrzała na nią zaskoczona. Myślała, że Zuzka dobrze jej życzy!

To właśnie krzyknęła w następnej chwili.

– Właśnie dlatego, że życzę ci jak najlepiej. Jeremi... Nie lubię go. Sorry, Nisia, ale nikt z nas, twoich przyjaciół, za nim nie przepada. I nie ma tu nic do rzeczy fakt, że on studiuje medycynę a nie weterynarię, a jego rodzice są szychami w towarzystwie – mówiła, ostrożnie ważąc słowa, żeby jej nie urazić. – Dla ciebie jest dobry, fantastyczny, zakochany do nieprzytomności, widzę to i próbuję mu wierzyć, ale resztą po prostu gardzi.

W tym momencie Weronika powinna zasypać ją lawiną zaprzeczeń, zapewnić, że się myli, stanąć w obronie narzeczonego, ale słuchała jej słów w milczeniu.

– Gdy na ciebie polował, Nisia, tak to wyglądało, kochana, jakby cię osaczył, zastawił na ciebie sidła i cierpliwie czekał, aż w nie wpadniesz, czasami, gdy nie chciało nam się iść do kina, potrafił być tak nieprzyjemny, patrzył na nas z taką nienawiścią... Wciskał nam do rąk forsę, czyśmy tego chciały, czy nie, żeby zostać z tobą sam na sam. Zupełnie jakby kupował pokój na godziny. I ciebie z tym pokojem.

Serce zacisnęło jej się w bolesny węzeł, ale musiała zapytać:

– Dlaczego mówisz mi o tym dopiero teraz? Próbujesz wbić klin między mnie a Jeremiego, bo...?

– Nika, nie chcę wbijać żadnego klina! Zależy mi na tobie! Zasługujesz na szczęście! Na wszystko, co dobre! Po prostu chciałam, żebyś wiedziała, jak było. Przecież lepiej późno, niż wcale. Jeszcze możesz się wycofać. Odwołać cały ten ślub. Dać sobie więcej czasu. Gdy przyszłaś dziś, półprzytomna z rozpaczy, wyrzucając bez ładu i składu, że to koniec, że nigdy go nie zobaczysz, zamiast ci współczuć, poczułam ulgę. Wybacz, Weronika. Wiem, że brzmi to podle, ale ucieszyłam się, że wyrwałaś się z lepkich łap Jeremiego Wiśniowskiego.

– Nie znasz go tak dobrze, jak ja – wydusiła. – To kochany, porządny człowiek. Polowania? Zasadzki? Sidła? To jakieś brednie! Po prostu się we mnie zakochał i próbował tak właśnie mnie zdobyć. Co innego miał robić? Wywiesić transparent „Kocham Weronikę Nocyk"? Przecież wiesz, że długo Jeremiego w ogóle nie zauważałam, nie chciałam go...

– Właśnie, Nisia! Jest na roku kilka szczęśliwych par, jedna nawet po ślubie. Żaden facet nie narzucał się w ten sposób lasce, co ten twój. Zakochiwali się w sobie, tak jakoś... naturalniej i dziś są ze sobą. Nie w głowie im śluby, litości!, każde z nas ma jeszcze czas, mnóstwo czasu! Chodź z Jeremim, bawcie się w narzeczeństwo, ale po co od razu przysięgi małżeńskie i to w kościele?!

– Oboje tego chcemy! I wierz mi albo nie: ja bardziej niż on! Nie zrozumiesz tego, bo masz fajnych, kochających rodziców. Mnie moi nienawidzili od urodzenia, nie cierpieli samego faktu, że mają dziecko. Nie chcesz wiedzieć, jakie kary stosowali, by zmusić małą, kilkuletnią dziewczynkę nie tyle do posłuszeństwa, byłam posłuszna!, co do nieistnienia. Jeremi kocha mnie i akceptuje taką, jaka jestem. Wybrał właśnie mnie. Chce się ze mną związać. Najważniejsze jest jednak to, że przy nim czuję się bezpieczna. On mnie nie porzuci. Wreszcie będę miała rodzinę!

– Dlaczego więc płakałaś przez całą noc, skoro wszystko jest ładnie-pięknie? – zapytała Zuzka, szczerze zdziwiona. Naprawdę czegoś tu nie rozumiała. – Kim jest ten, „z którym koniec" i którego nigdy już nie zobaczysz?

– Ktoś, kogo kochałam – odparła, znów czując łzy napływające do oczu. – Całym sercem.

Gdy dziś zastanawiam się nad wydarzeniami tamtego dnia i nad tym, co miało nastąpić w niedalekiej przyszłości, nie mogę się nadziwić, jak byłam ślepa i głucha na podszepty otoczenia. Naprawdę nie widziałam, że moi przyjaciele, których na pierwszym roku miałam całe mnóstwo, teraz się ode mnie – czy raczej od nas, bo z Jeremim staliśmy się nierozłączni – odsunęli? Że nie jestem już zapraszana na studenckie imprezy? Nie dlatego, że to ja przestałam nagle być lubiana, bo na zajęciach było jak dawniej, lecz dlatego, że Jeremiego po prostu nie znosili. Gdyby mnie nie osaczył – Zuza użyła dobrego określenia – musiałabym spostrzec, że jestem wyobcowana, że staję się coraz bardziej samotna.

Lecz ja tego nie widziałam.

Za to wyraźnie dostrzegłam, jak bardzo Wiktor różni się od reszty towarzystwa. Jak nie pasuje do moich kolegów i kole-

żanek. Wtedy, podchodząc do niego na uczelnianym korytarzu, na widok jego ogolonej niemal na łyso głowy i niemodnych, wręcz „obciachowych" ciuchów, w głębi duszy poczułam... tak, moja droga, bądźmy ze sobą szczere... wstyd.

Jeszcze tydzień wcześniej pisałam do niego po kryjomu, żeby Jeremi się czasem nie dowiedział, jeden z moich listów. Jeszcze wczoraj był moją miłością przez duże M, dziś mówię o nim „kolega z dawnych lat"?! Jak strasznie musiało go to zaboleć...

Z drugiej strony, a od tamtych dni miałam dużo czasu, żeby przemyśleć wszystko po stokroć, uczucie, które nas połączyło, miało tak wątłe podstawy... Ile czasu ze sobą spędziliśmy? Dwa lata jako para przeraźliwie samotnych dzieci, które miały tylko siebie. Jedno spotkanie w bibliotece poprawczaka. Jeden niecały miesiąc na Czeremchowej i...? To wszystko miało nam wystarczyć na resztę życia? Jeśli była to miłość, a wierzę, że tak, to czysto platoniczna.

Natomiast Jeremi... Och, o nim też sporo rozmyślałam. On pozornie dał mi wszystko, czego nie dostałam od Wiktora ani nikogo innego: obietnicę pełnej, kochającej się rodziny. I coś o wiele ważniejszego od miłości: poczucie bezpieczeństwa. On mnie nie opuści. Nie odwróci się i nie odejdzie. Trwał przy mnie tak długo, chociaż nie dawałam mu nadziei na coś więcej niż przyjaźń, że zostanie ze mną na dobre i na złe – tak sobie tłumaczyłam mój wybór, niezrozumiały dla nikogo innego.

Nie chciałam widzieć znaków ostrzegawczych, choćby tego, jak genialnie Jeremi mną manipuluje, jak potrafi dobrać słowa i zachowanie tak, by osiągnąć cel. Nie chciałam wierzyć jesz-

cze długo po rozwodzie, że wtedy, na uczelnianym korytarzu, odrzucam dobrego człowieka, pogubionego w życiu, to prawda, z wyrokiem na karku, zgadza się, ale kogoś, kto mnie nie skrzywdził i nie grał mną w żadne gierki, natomiast oddaję swoją przyszłość w ręce psychopaty. Tak właśnie: psychopaty.

To ci dopiero zaskoczenie, prawda?

Na wybór ten – wybór, który wpłynie na całe moje życie i nie tylko moje – dostałam zaledwie parę chwil. Nie mogłam go przemyśleć, nie mogłam rozważyć wszystkich za i przeciw, postawiono mnie między Wiktorem a Jeremim i kazano wybierać teraz, natychmiast: spokojna, bezpieczna przyszłość czy jedna wielka niewiadoma? A może: miłość czy wdzięczność?

I głupia Weronika wybrała…

ROZDZIAŁ XVII

EWA

Konrad wpadł do niewielkiej, uroczej kawiarenki, tuż przy rynku Starego Miasta, jak po ogień. Wypatrzył Ewę w jednej z wnęk. Zaczytana w jakiejś książce, machinalnie mieszała łyżeczką herbatę, teraz już zimną.

Padł na krzesło, zdyszany jak po maratońskim biegu. Nawet na niego nie spojrzała. Za to na telefon, jak najbardziej.

– No, no, bijesz rekordy – mruknęła. – Dziś spóźniony czterdzieści trzy minuty… Może zaczniemy się umawiać z godzinnym poślizgiem i to ty będziesz czekał na mnie, nie ja na ciebie?

– Korki, Ewuś – miauknął, jakby to wszystko wyjaśniało.

– Ja również jechałam przez pół miasta. I stałam w tych samych korkach, co ty – zauważyła.

– Ale…

– Nie ma żadnego „ale", Konrad. Lekceważysz mnie.

– Ewka, wiesz, że to nieprawda! Prosiłem: spotkajmy się w biurze…

– Do biura również notorycznie się spóźniasz, więc wolę poczekać tutaj.

Miała rację. Punktualność nie była mocną stroną Dorady. Na szczęście Ewa nie należała do obrażalskich i była skłonna sporo wybaczyć swemu wydawcy. Chociaż tym razem wyglądała na wkurzoną. Niby spokojnie czyta książkę i miesza herbatę – wciąż – ale jeśli on szybko nie zmieni tematu, gotowa wstać i wyjść.

– Znalazłem go – wypalił.

W pierwszej chwili zaskoczona, oderwała wzrok od książki i wbiła go w twarz mężczyzny. W następnej obojętnie odparła: – Nie znalazłeś – i powróciła do lektury.

– A i owszem – powtórzył z uporem. – Trochę popytałem…

– Czy raczej zleciłeś prywatnemu detektywowi, żeby popytał…

– Skąd wiesz? Jasnowidz jakiś jesteś czy co?! – wykrzyknął, rozbawiony, ale uśmiech znikł pod zimnym spojrzeniem Ewy. – Przepraszam. To już się więcej nie powtórzy. Ale widzisz, detektyw znalazł twojego Wiktora czy raczej Jeremiego, bo tak ma facio na imię. Do twojej wiadomości: żyje i ma się dobrze. Nie wiem, dlaczego uśmierciłaś biedaka… – Urwał, widząc minę Ewy.

– A jednak go nie znalazłeś. – Oparła głowę na splecionych pod brodą dłoniach i patrzyła na wydawcę z mieszaniną gniewu, politowania i rozbawienia, w takiej mniej więcej kolejności.

– Jeremi Wiśniowski to nie twój…?

– Mój były mąż, zgadza się. Słowem jednak nie napomknęłam, że wyszłam za mąż za Wiktora. Skąd ci to w ogóle przyszło do głowy?

– Wydało mi się jasne, że jest miłością twojego życia.

– Bo jest, czy raczej był.

– Myślałem, że hajtnęliście się, gdy tylko odsiedział swoje, potem się nad tobą znęcał, uciekłaś od niego, dostałaś rozwód, odchorowałaś to w psychiatrykach i… oto jesteś. – Rozłożył ręce, czym szczerze Ewę rozbawił.

– A tu zaskoczenie – odezwała się pogodnie. – Jeremi to nie Wiktor.

Nie uszło jego uwagi, jak wstrząsnęła się na słowo „Jeremi".

– Musiał ci, skurczysyn, nieźle zaleźć za skórę – odezwał się.

– Nie, coś ty! Dostałam depresji z powodu jesiennych słot! A tak notabene, za nasłanie na mnie detektywa, powinnam się wkurzyć, nieprawdaż?

– Prawdaż. Ale wybaczysz mi, Ewuś? Zżera mnie ciekawość i po prostu nie mogę dłużej wytrzymać. Powiedz, na ucho, nikomu nie powtórzę, co się stało z tamtym draniem?

Nie zdążyła odpowiedzieć, żeby spadał albo przeciwnie, zdradzić mu tę tajemnicę, bo jej telefon rozdzwonił się śmieszną, dziecinną melodyjką. Konrad spojrzał na wyświetlacz w chwili, gdy brała komórkę do ręki. Widniało na nim zdjęcie uśmiechniętego chłopczyka. Przeniósł wzrok na twarz kobiety w chwili, gdy odbierała połączenie i mówiła: – Cześć, słoneczko, co u ciebie słychać? – W zielonych źrenicach, w uśmiechu i głosie Ewy znalazł czystą, bezgraniczną miłość.

Nagle go olśniło. Już wiedział, jak brzmi prawdziwe imię tamtego drania...

Poczekał, aż kobieta zakończy rozmowę i spojrzy na niego jasnymi oczami, po czym zapytał niewinnym głosem:

– I jak tam Kubuś? Wszystko u niego w porządku? Dowiemy się z twojej nie-autobiografii, kim był jego ojciec?

*

Weronika przekroczyła próg lecznicy na Mehoffera z nostalgią w sercu. Ileż pięknych chwil przeżyła w tym miejscu... To tu stawiała pierwsze kroki w weterynaryjnym fachu, tutaj doktor Kochanowski od podstaw uczył ją zawodu, na tej sali uratowała kiedyś małą suczkę, którą źli ludzie przywiązali do drzewa w lesie i zostawili na śmierć. Zaś na tym korytarzu... Przypomniała sobie ostatnie spotkanie z Piotrem i ciepło zrobiło się jej nie tylko koło serca. Gdyby dziś doktor wyciągnął po nią rękę, skończyłoby się to zupełnie inaczej, niż trzy lata temu...

– Dzień dobry, panie doktorze – odezwała się, stając w progu kanciapki.

Kochanowski poderwał głowę znad weterynaryjnego periodyku i rozpromienił się na widok dawno niewidzianej podopiecznej.

– Nisia! Boże, dziewczyno, ileż to lat? Już myślałem, że całkiem o mnie zapomniałaś! – Chwycił ją w objęcia i przytulił serdecznie do piersi. – Urosłaś? Może nie, ale nabrałaś trochę ciała. Gdy ostatni raz się widzieliśmy...

Urwał. Pamięć podpowiedziała Kochanowskiemu, czego się omal nie dopuścił owego ostatniego razu.

– Byłaś tak chuda...

– ...że nie miałam cienia. Wiem, wiem. Pamiętam wszystkie porównania, którymi raczył mnie pan na zmianę z doktorem Lutkiem. – Uśmiechnęła się trochę smutno.

To były jednak piękne czasy. Czuła się dobrze w otoczeniu ludzi, którzy ją cenili i darzyli sympatią. Miała chatkę na Czeremchowej, dwa konie – w tym jednego wściekłego – i dwie Sajgonki. Przez niecały miesiąc miała też Wiktora...

– Zrobię ci herbatę, a ty siadaj, mów, co na studiach? Jak żyjesz w dalekim Wrocławiu? Fajni ludzie? A wykładowcy? Dają wam w kość? Za moich czasów gnębili studentów na wszelkie możliwe sposoby, ledwo zdawałem z roku na rok.

– Serio? Myślałam, że doktor był prymusem – zdziwiła się.

– Prymasem chyba. Nie odstawałem od dolnej średniej. Ty, mam nadzieję, uczysz się nieco lepiej? Po studiach nikt ci w indeks zaglądać nie będzie, liczą się umiejętności i wiedza praktyczna, jednak czwórkę, nie mówiąc o piątce, na dyplomie warto mieć.

– Piątki nie będzie, ale mocna czwórka, owszem.

– Brawo, Nisia! Za trzy lata wrócisz jako pani doktor i może wreszcie przejdziemy na „ty".

Zarumieniła się. Nie śmiałaby zwracać się do swego mentora, ukochanego nauczyciela i autorytetu po imieniu.

– Ach – przypomniał sobie. – Masz pączki? – Wskazał reklamówkę, którą przez cały ten czas ściskała w ręku.

– Jakżeby inaczej. Nie śmiałabym przyjść bez wkupnego.

Wyjęła pudełko ze złotym napisem i podała doktorowi. Ten, jak setki razy wcześniej, wyciągnął cudnie pachnącego pączka i z westchnieniem wgryzł się w miękki miąższ.

– Wiesz, jak dogodzić facetowi – wymruczał. – Bez skojarzeń. – Puścił oczko.

Przez chwilę siedzieli w zgodnym milczeniu. Ona popijała herbatę, on zajadał pączka za pączkiem. Potrafił wchłonąć pięć, jednego po drugim, a mimo to wciąż był głodny.

– Wpadłaś w odwiedziny, czy w jakimś określonym celu?

– Wychodzę za mąż.

Zakrztusił się. Przełknął, zmierzył dziewczynę spojrzeniem, zatrzymując je nieco dłużej na płaskim brzuchu i zapytał ostrożnie:

– Chcesz czy musisz?

Weronika przewróciła oczami. Każdy, komu mówiła o ślubie, zadawał dokładnie to samo pytanie. I tak samo badał wzrokiem jej sylwetkę.

– Chcę.

– Wiktor wyszedł z więzienia? – domyślił się.

Spuściła wzrok i pokręciła głową.

– To nie Wiktor – odparła cicho.

Zaskoczyła go. Naprawdę! Był pewien, że wyjdzie za ukochanego recydywistę, gdy tylko ten skończy odsiadkę, a tu taka niespodzianka…

– Kim jest więc twój wybranek? – zapytał, konstatując w duchu, że dziewczyna nie wygląda na szczęśliwą.

Zawsze, gdy padało imię „Wiktor", zapalał się w niej jasny płomień. Głęboka miłość, którą wiernie darzyła chłopaka, rozpromieniała dziewczynę od środka. Dziś była przygaszona. I nie za bardzo chciała się chwalić narzeczonym. Co tu jest grane?!

– To… kolega z medycyny. Poznaliśmy się na ślubie kumpla i… chcemy być razem.

– Więc bądźcie, czemu nie, ale po co od razu ślub? Masz dopiero dwadzieścia jeden lat, powinnaś zaszaleć, zakosztować życia. Na męża, dom i rodzinę przyjdzie czas.

Słuchała tych słów, nie patrząc doktorowi w oczy.

On, co przyznał w duchu, całkiem inaczej powinien zareagować na tę radosną wiadomość. Gratulacje – tak, radość, że jego podopieczna znalazła drugą połówkę jabłka – oczywiście! Zamiast tego namawiał ją do zerwania zaręczyn albo chociaż odłożenia ślubu na dalszą przyszłość, bo widział, był pewien, że dziewczyna nie do końca wie, co robi.

– Nisia, wiesz że życzę ci jak najlepiej... Cieszyłbym się z twojego szczęścia, gdybym znalazł je w twoich oczach, twoim uśmiechu. Gratulowałbym wam obojgu, tobie i Wiktorowi, gdybyście razem stanęli przede mną i zaprosili mnie na wasz ślub, bo mówiąc o nim miałaś w oczach ten blask. Jednak ty jesteś przerażona...

– To chyba normalne – przerwała mu z gniewem. – Każda panna młoda denerwuje się przed ślubem.

– Ale nie każda jest tak smutna!

– Nie jestem smutna. Trochę zmęczona, owszem, ale nie smutna. Kocham Jeremiego i zamierzam za niego wyjść, czy to się podoba reszcie świata, czy nie – ucięła stanowczo. – Nie wiem, co wy do niego macie. Pan nawet go nie zna, nie widział pan człowieka na oczy, a z góry zakłada, że nie będę z nim szczęśliwa!

– Niczego, Nisia, nie zakładam. Możesz z owym Jeremim być najszczęśliwsza na świecie. Widzę jedynie, że teraz, w tej chwili, daleko ci do szczęścia. Z Wiktorem...

– Wiktor. To. Przeszłość!

No tak... Kochanowski pokręcił głową. Chyba nic więcej nie zostało do dodania. Złamane serce nie jest dobrym doradcą, a najwidoczniej to spowodowało, że Weronika sięgnęła po nowe antidotum. Zupełnie jak kiedyś leczyła się nim. Terapia skończyła się tutaj, w lecznicowym korytarzu. Omal nie wziął wtedy Weroniki...

Płomień smagnął lędźwie mężczyzny. Wtedy miał w rękach młodziutką dziewczynę, dziś stała przed nim piękna, młoda kobieta. Był pewien, że tym razem ani on by się nie powstrzymał, ani ona, ale nie śmiał próbować. Weronika wychodziła za mąż. Nie on był tym, który może odwieść dziewczynę od popełnienia tego błędu. Nie kochała Jeremiego, czy jak tam ten facet się wabił. Na pewno nie tak, jak Wiktora. Już z większym entuzjazmem patrzyła na niego, Piotra, niż wspominała o przyszłym małżonku.

A może uprzedził się do tamtego? Może przemawiała przez niego zazdrość, a nie troska o podopieczną? Nie znał gnoja! Może to dobry człowiek, z którym Weronika będzie szczęśliwa, tak po prostu?

– Wybacz, Nisia – odezwał się ze skruchą. – Diabeł we mnie wstąpił. Wiesz, że oświadczyłem ci się pierwszy, ale byłaś wtedy za młoda…

Uniosła brwi. Z tego, co pamiętała, to ona oświadczyła się jemu, nie odwrotnie.

– Miałaś siedemnaście lat, gdy pierwszy raz cię zobaczyłem – przypomniał, a dziewczyna roześmiała się na to wspomnienie.

Rzeczywiście, doktor z miejsca zaproponował jej małżeństwo, dom, synka, córeczkę, nawet jakieś drzewo!

– Potem ja się panu oświadczyłam…

– Ale wciąż byłaś za młoda.

– Skończyłam osiemnaście lat, pragnę przypomnieć. Mimo to pan, doktorze, odrzucił moją propozycję.

– Po krótkim zastanowieniu chciałem ją przyjąć, wysłałem wiadomość, ale nie odpowiedziałaś.

– Serio? – spoważniała nagle. – Nie dostałam żadnej wiadomość. Przecież... wróciłabym.

Spłonęła rumieńcem. Ślicznie jej z nim było.

– Może wyda ci się to niestosowne – zaczął, unosząc dłoń dziewczyny do ust – ale... tak, to było niestosowne – teraz on się zaczerwienił – poprosiłem, byś wróciła, pragnąłem, żebyśmy zaczęli wszystko od nowa. – Delikatnie ucałował ciepłe wnętrze jej dłoni i zupełnie bezwładną odłożył na kolana dziewczyny.

– Nigdy nie dostałam tej wiadomości – rzekła cicho.

Czy to jednak cokolwiek zmienia?

– Ale dziękuję panu za to. – Dotknęła koniuszkami palców policzka mężczyzny.

Uśmiechnął się do niej smutno, wiedząc, że to ich pożegnanie.

– Bądź szczęśliwa, Nisieńko. Życzę ci tego z całego serca.

Przytulił ją po raz ostatni. Oparła głowę na piersi przyjaciela i długą chwilę słuchała bicia jego serca.

– Pamiętaj, że jestem – dodał miękko. – Gdybyś potrzebowała mojej pomocy, wystarczy, że dasz znać. Nie zapominaj, że jesteś mi droga. Bardzo droga.

Kiwnęła głową, w kącikach oczu rozbłysły łzy.

– Dziękuję, panie doktorze. – Uniosła głowę, spojrzała mu prosto w oczy i powiedziała: – Zawsze będę pana kochać.

A potem wysunęła się łagodnie z jego ramion i wyszła, nie oglądając się więcej za siebie.

Ten rozdział jej życia był zamknięty.

Nie mogła słyszeć, jak Piotr szepce łamiącym się głosem:

– Gdybym potrafił cofnąć czas, nie pozwoliłbym ci odejść…

ROZDZIAŁ XVIII
JÓZEK

Ciężko jej było na duszy, gdy zostawiła za sobą bramę lecznicy, którą tyle razy przekraczała z niekłamaną radością. Jeśli kiedykolwiek tu wróci, będzie Weroniką Wiśniowską, przykładną żoną, a może i matką? Nigdy więcej nie zatonie w ramionach doktora Kochanowskiego. Jeremi, jak się okazało, wściekle o Weronikę zazdrosny, mógłby się rzucić na Piotra z pięściami i pewnie zebrałby łomot, bo mięśni to on raczej nie miał i walczyć nie umiał.

Na wspomnienie łatwości, z jaką Wiktor miotnął Jeremim o ścianę, zaśmiała się cicho do siebie. Jednak w następnej chwili spoważniała. Jej przyszły mąż bić się może nie potrafił, była jednak pewna, że zemściłby się na wrogu w inny sposób. Potrafił osiągać cel. Był w tym naprawdę dobry.

Zaraz po oświadczynach, które Weronika przyjęła, stwierdził, że nie będzie gorszy od niej – przy czym miał na myśli studia – i rzucił się w wir nauki. Nie musiał więcej przesiadywać w pokoju dziewczyny, już ją zdobył, zaczął więc ostro zakuwać do sesji letniej i po raz pierwszy zaliczył ją bez poprawek.

Państwo Wiśniowscy byli zachwyceni. Może ta dziewczyna będzie miała dobry wpływ na Jaremkę? Może ten związek nie jest takim złym pomysłem? Gdyby jeszcze odłożyli ślub... Gdzie się tym dwojgu tak spieszy? Skoro się kochają, co za różnica, czy pobiorą się rok albo dwa później? Ale nieee, ta pazerna przybłęda nie wypuści z rąk takiej okazji. Skoro już uwiesiła się na ich synu, nie zaryzykuje jego utraty. I cała wdzięczność, jeśli choć przez chwilę ją czuli, przemijała z wiatrem.

Weronika dostała jednak dowód na to, że Jeremi naprawdę potrafi dążyć do celu. Uwierzyła, że osiągnie on wszystko, czego zapragnie i była dumna z narzeczonego.

Czuła również coraz większy spokój. Jeremi potrafił się o nią troszczyć jak nikt. Rano wpadał do akademika z własnoręcznie przygotowanym śniadaniem, żeby Nisiak nie chodził przez cały dzień głodny. Po zajęciach szli do studenckiej stołówki na obiad. W weekendy udawali się na zakupy, gdzie Jeremi wybierał dla niej ciuchy. Niósł potem całe naręcze bluzek, spódnic i sukienek – żadnych spodni!, kobieta ma wyglądać kobieco! – do przymierzalni i oceniał okiem konesera, w czym Weronika wygląda najlepiej. Nikt wcześniej nie poświęcał jej tyle uwagi, zapominając o sobie. Była za to Jeremiemu serdecznie wdzięczna. Jego świat kręcił się wokół przyszłej żony. Nisiak był w centrum ich małego uniwersum. To on, Jeremi, własnoręcznie Weronikę tam umieścił. I zamknął w pętli ciasnej orbity.

Szła teraz cichą, białołęcką uliczką, i próbowała porównać trzech mężczyzn swojego życia: Wiktora, Piotra i Jeremiego. Do Wiktora miała największą słabość, pierwsza miłość na zawsze pozostawia ślad w naszych sercach, ale Weronika była pewna, że ich związek nie przetrwałby próby czasu. Kochali swoje wspomnienia, bo tak naprawdę nic więcej ich nie łączyło.

Piotr Kochanowski był niczym skała. Na niego zawsze mogła liczyć, ale prawdę mówiąc darzyła go głęboką przyjaźnią, niczym więcej. Gdy mówiła, że kocha, nie kłamała. Była to jednak miłość do bratniej duszy, nie mężczyzny z krwi i kości.

Uczucie do Jeremiego miało solidne podstawy: znała go od dwóch lat, nigdy nie miał dla niej złego słowa, nie podniósł na nią głosu, nie posprzeczali się. Jedyny wyjątek, wtedy na korytarzu, gdy spotkała Wiktora, tylko potwierdzał tę regułę. Jeremi łączył w sobie zalety dwóch rywali, lecz nie miał ich wad. Nie był kobieciarzem, jak doktor Kochanowski i nie miał kryminalnej przeszłości, jak Wiktor.

– To mój wybór. Dobry, rozsądny, pewny wybór – wyszeptała, żeby po raz kolejny pozbyć się wątpliwości.

A potem weszła do środka, schodami na drugie piętro, wreszcie do kuchni, gdzie – była pewna – zastanie Braci Jot. Rzeczywiście Janek i Jacek siedzieli przy stole, siorbiąc zupę. Na widok dawno niewidzianego gościa, poderwali się z krzeseł, skoczyli witać się z dziewczyną.

– Nasza mała siostrzyczka wróciła do domu!

Janek zmiażdżył dziewczynę w uścisku niedźwiedzich ramion. Drugi z braci klepał ją dłonią wielką jak łopata po plecach, nie zdając sobie sprawy, że obija jej płuca.

– Przestań, bracie, bo mi kręgosłup przetrącisz! – krzyknęła żartobliwym tonem i nagle… zapadła cisza jak nożem ciął.

Obaj spoważnieli. Twarze, przed chwilą uśmiechnięte, posmutniały. Weronika, zaskoczona, spoglądała to na jednego, to na drugiego, wreszcie zapytała:

– Co się stało? Powiedziałam coś nie tak? – Straszne przeczucie zjeżyło jej włosy na karku. – Gdzie Józio? Zawsze razem jecie kolację…

Oczy młodszego z braci zalśniły od łez, gdy odpowiadał:

– Trzy miesiące temu miał wypadek. Śmiertelny.

Z gardła dziewczyny wydarł się bolesny jęk. Usiadła tam, gdzie stała. Patrzyła oczami wypełnionymi szokiem to na jednego, to na drugiego, błagając, by zaprzeczyli, ale rozpacz w ich spojrzeniu wystarczyła za odpowiedź.

– J-jak to się stało?

– Pracowaliśmy na budowie. Zawalił się strop. Na Józia. Po prostu go zmiażdżyło.

Po policzkach Jacka, średniego z braci, popłynęły słone krople. Weronika nie płakała tylko dlatego, że śmierć Józka nadal nie dotarła do jej świadomości. Owszem, słyszała słowa, które wypowiedział łamiącym się głosem jego brat, ale mu nie uwierzyła.

Józio, taki kochany, nieśmiały chłopak, wielki jak dąb, ale delikatny, z szopą płowych włosów i łagodnymi, błękitnymi oczami... Idąc tutaj, myślała właśnie o nim. Wiedziała, że Józio czuje do niej słabość, i bała się go zranić zaproszeniem na ślub, ale nie mogła przecież pominąć serdecznego przyjaciela.

Teraz mogła się już nie obawiać.

Zakrztusiła się łzami. Wyciągnęła do Janka ręce w błagalnym geście. Przytulił ją i długo gładził po drżących plecach.

– Kochał cię ten nasz Józek, wiesz, Nisia? – usłyszała jego cichy szept i kiwnęła głową.

Józio, taki dobry, serdeczny człowiek ją kochał... Dlaczego ona nie potrafiła zakochać się w nim? Czy bałaby się tak strasznie, jak boi się teraz, wiedząc, że za miesiąc zostanie żoną Józia?

Powinnaś była sobie odpowiedzieć na to pytanie, Weroniczko, właśnie tamtego dnia, gdy rozpaczałaś po jego śmierci.

Gładziła dłonią zimny marmur, pod którym spoczął przyjaciel. Bracia odprowadzili ją na cmentarz, ale nie zostali z nią przy grobie. Oni przychodzą tutaj w każdą niedzielę, dzisiaj niech przy Józiu pobędzie Weronika.

– Przepraszam – wyszeptała, gdy tylko uklękła przy grobie. – Tak bardzo cię przepraszam, że nie chciałam widzieć twojej cichej miłości. Pocieszałeś mnie, gdy płakałam za Wiktorem, pocieszałeś, gdy zrozpaczona wróciłam od doktora, a ja raniłam cię obojętnością…

Przytknęła dłoń do oczu, siłą powstrzymując łzy.

Tyle lat czuła się samotna, mówiła o samotności, skarżyła się na nią, nie widząc, jak wspaniałymi ludźmi jest otoczona, nie przyjmując do wiadomości, ilu z nich chciałoby się nią zaopiekować. Wystarczyło jedno słowo, a dziś wracałaby do domu pani Jadwigi ze swoim narzeczonym, Józkiem Białym. Mieszkaliby razem w jej pokoiku. On co rano robiłby kanapki dla niej, dla siebie i swoich braci, potem żegnałaby go całusem i biegła na uczelnię, żeby wieczorem wracać do domu pełnego ciepła i miłości, gotować chłopakom obiad, a na koniec zasypiać w silnych, męskich ramionach Józia. Czułaby się tak bezpieczna i spokojna…

– Przepraszam – powtórzyła po raz ostatni i raz jeszcze pogładziła zimny, nieczuły kamień.

Na Powiśle jechała z pustką w sercu. Śmierć przyjaciela – ile mógł mieć lat?, dwadzieścia sześć?, siedem? – po prostu ją złamała. Janek i Jacek pożegnali ją ze zwykłą serdecznością, ale czuła, że w głębi duszy mają do niej żal. Odrzuciła miłość ich brata. Nie był jej godzien. Oni więc nie chcieli widzieć Weroniki nigdy więcej. Oczywiście nie powiedzieli jej tego, mieli zbyt wielkie serca, by ranić dziewczynę takimi słowami, te jednak, chociaż niewypowiedziane, zawisły w ciszy między nimi.

Tak, wszyscy troje wiedzieli, że nie jest winna tej śmierci, żal braci był absurdalny, jej poczucie winy także. Może właśnie dlatego tak trudno wybaczyć?

Nie potrafiła zranić ich jeszcze bardziej, zapraszając na ślub. Nie powiedziała, że za miesiąc wychodzi za mąż. Imię „Jeremi" też nie padło. Odprowadzili ją po prostu na przystanek autobusowy, przytulili, ucałowali i patrzyli, jak dziewczyna znika z ich życia, by nigdy nie wrócić...

Otarła łzy.

Przed nią jeszcze jedno wyzwanie.

Z ciężkim sercem pchnęła drzwi prowadzące na ponurą, brudną klatkę schodową i zaczęła wchodzić na drugie piętro. Dotknęła dzwonka. Zawahała się na ułamek sekundy. „Naprawdę chcesz pochwalić się taką matką w dniu ślubu?", przemknęło dziewczynie przez myśl. Nieprzyjemny dźwięk wstrząsnął nią. Było za późno na rozterki.

Z głębi mieszkania dobiegło chrapliwe: „Kto tam?", nacisnęła klamkę i weszła do środka.

Uderzył ją smród niemytego ciała i gnijących w zlewie naczyń. W mieszkaniu był taki chlew, w jakim ona wstydziłaby się żyć. Może i była bałaganiarą, w jej kącie, w akademickim pokoju panował twórczy nieład, ale nie było, na miłość boską, brudno!

– Mamo?

Weszła do pokoju. Przez okna niemyte od kiedy zajęła się nimi ostatni raz, przed wyjazdem na studia, wpadało niewiele światła. Przy stole tkwił nieruchomo opasły tułub w poplamionym szlafroku i rozkładał pasjansa. Dookoła walały się niedopałki papierosów i puste butelki. Weronika poczuła mdłości.

Matka zwróciła na nią przekrwione oczy i zapytała bez zbędnych wstępów:

– A ty czego tu?

Jak miło…

– Przyszłam cię odwiedzić. Ogarnę mieszkanie, jeśli chcesz.

Wzruszenie ramion.

Weronika spojrzała po sobie. Na wyjazd do Warszawy włożyła ładną sukienkę, dobrała do niej jasny płaszczyk i nowe buty. Nie była gotowa na sprzątanie stajni Augiasza, ale cóż… Płaszcz odwiesiła na hak w przedpokoju, podwinęła rękawy błękitnej sukienki i wzięła się do pracy.

Matka wodziła za nią wzrokiem, milcząc. Była w pełni sprawna, po wylewie nie został ślad, wyszła z niego obronną ręką, jednak nie zamierzała nic zmieniać w swym marnym życiu. Jak kopciła dwie paczki dziennie, tak kopci, jak chlała, tak chla. W przerwach między papieroskiem, wódką i pasjansem schodziła do najbliższej budki z kebabem, wracała z zapasem na cały dzień i żarła.

Weronika zacisnęła usta w wąską kreskę i sprzątała chlew najpierw w pokoju matki, potem w kuchni, na końcu w łazience. Nieraz walczyła z odruchem wymiotnym, z obrzydzeniem nawet nie próbowała.

Późną nocą wyniosła do śmietnika ostatni worek, wróciła na górę i rozejrzała się po mieszkaniu, mimo wszystko dumna z siebie. Smród wsiąkł w ściany i porządki niewiele tu zmieniły, ale poza tym pokój lśnił czystością. Tułub potoczył dookoła tępym wzrokiem.

– I co? Myślisz, że będę ci wdzięczna?

Weronika spojrzała na matkę z mieszaniną smutku i pogardy. I jeszcze gniewu.

– Nie mam takich złudzeń – odparła zimno. – Znasz adres ojca?

Tułub wzruszył ramionami.

– Tak myślałam – skwitowała to Weronika, odwróciła się na pięcie i ruszyła do drzwi.

Jeśli roiła sobie, że matka ją zawoła i może nie podziękuje, ale przynajmniej się z nią pożegna, to musiała się rozczarować. Z pokoju nie padło ani jedno słowo. Zgarnęła po drodze płaszcz, wyszła na klatkę, zatrzasnęła za sobą drzwi i... rozpłakała się.

Zbiegała po schodach, ocierając łzy. Zaproszenie na ślub, które ściskała w ręce, parzyło. Podarła je na drobne skrawki, wyrzuciła do kosza i wreszcie mogła odetchnąć. Łzy obeschły.

Pospieszyła w dół ulicy, w kierunku przystanku autobusowego, jak lata temu, gdy uciekała do Orławy. Wtedy jednak miała ukochaną babcię Stenię i najdroższego przyjaciela, Wiktora. Dzisiaj była sama.

ROZDZIAŁ XIX
ZADRA

We Wrocławiu wszystko pozostało bez zmian, jak na Zachodzie. Wróciła w stęsknione ramiona Jeremiego i znalazła się w innym świecie, niż jeszcze dzień wcześniej. Tu panował spokój i ład. Pani Genowefa, pachnąca dobrymi perfumami, zadbana i umalowana, nalewała mężowi, synowi i Weronice rosół domowej roboty, który pół dnia pichciła gosposia. Pan Waldemar, przebrany do obiadu w odprasowaną koszulę, bawił gościa uprzejmą konwersacją. Kontrast między domem Wiśniowskich, a jej własnym, tam na Powiślu, był tak szokujący, że chyba dopiero teraz do dziewczyny dotarło z całą jasnością, dlaczego tak przylgnęła do Jeremiego i tej rodziny. Tego właśnie pragnęła, za tym tęskniła. Miły dom, który wypełniają kochający się ludzie. Zadowolony z życia mąż, szczęśliwa żona, dwoje uroczych dzieciaczków – taki obraz Weronika nosiła w sercu, to marzenie popchnęło ją w ramiona mężczyzny, którego do tej pory darzyła li tylko sympatią. I wdzięcznością, rzecz jasna.

Dziś, w to spokojne sobotnie popołudnie, poczuła jak bardzo go kocha.

„Nie mogę tego stracić! Nie chcę wrócić na Powiśle!", zakrzyczała w duchu. I kiedy pani Gienia wbiła jej zwyczajową szpilę, niby komplementując błękitną sukienkę, ale zaraz pytając, czy nic tańszego nie znalazła, Weronika – która jeszcze wczoraj zawrzałaby ze złości – teraz odparła pokornie:

– Przepraszam. Rzeczywiście nie jest pierwszej jakości.

Był jeszcze ktoś, dla kogo przygotowała zaproszenie. Wahała się długo, z wiecznym piórem zawieszonym nad eleganckim, pozłacanym kartonikiem – oprawę ślubu i wesele fundowali państwo Wiśniowscy – by wreszcie ulec pokusie, wypisać imię i nazwisko, włożyć kartonik do ozdobnej koperty i sięgnąć po telefon.

Jeremi stanął w drzwiach.

– Gdzie znowu znikasz? Nie dawniej jak wczoraj wróciłaś z Warszawy!

Nie był zachwycony, że dziewczyna wychodzi, nie mówiąc dokąd i po co. Był zazdrosny o każdą minutę, jaką spędzała bez niego. Ciągle podejrzewał, że potajemnie spotyka się z tamtym bandziorem, jak mówił o Wiktorze. Wiedział, że tym epitetem rani bardziej ją, niż bandziora i zadawał jej ból z premedytacją. Wtedy, na korytarzu, skompromitowali go oboje na oczach połowy wydziału. Skurwiela dorwać nie mógł, tamten zapadł się pod ziemię i więcej Jeremi go nie widział, ale Weronika musiała odpokutować za swoje. Lżył więc Wiktora przy byle okazji.

Ona musiała milczeć. Gdy tylko się za nim ujmowała, Jeremi pytał uprzejmie, czy chce się zamienić? Może jednak wybiera tamtego? Odwołujemy ślub? Jeśli widział w jej oczach strach, jeszcze trochę ją dręczył, gdy widział bunt, wściekłość czy urazę, całował ją po dłoniach, błagając o wybaczenie.

– Kocham cię, Nisiaku, więc to zrozumiałe, że jestem zazdrosny! Jesteś taka śliczna, taka moja, nie będę się z nikim tobą dzielił! Nie zniósłbym myśli, że spotykasz się z facetem, który kiedyś cokolwiek dla ciebie znaczył.

– Nie spotykam się – odpowiadała. I wybaczała.

Nikt nigdy nie był o nią zazdrosny. Jeremi ciskał się nie tylko o Wiktora. Każdy facet z roku, każdy kolega, któremu Weronika posłała uśmiech czy choćby cieplejsze spojrzenie, stawał się dla mężczyzny zagrożeniem. O każdego robił jej karczemne awantury. A potem przepraszał, pieszczotami zmuszając dziewczynę do wybaczenia. W tym był prawdziwym mistrzem. Dłonią i językiem potrafił wymusić na niej wszystko…

Teraz również próbował ją w ten sposób zatrzymać. Stanął za jej plecami, patrząc z narastającą złością, jak Weronika, wystrojona w najlepszą sukienkę i nowy płaszcz, rozczesuje długie, lśniące miedzią włosy, po czym jedną dłonią nakrył pierś dziewczyny, ściskając trochę za mocno, językiem otoczył płatek ucha i zaczął ssać. Zamarła bez ruchu. Wstrzymała oddech.

– Boli – szepnęła, czując palce drapieżnie zaciskające się na wrażliwej skórze.

– Lubisz to – odparł, zanurkował drugą dłonią pod sukienkę, wsunął ją w majteczki dziewczyny, dotknął gorącego wzgórka, po czym zanurzył palec w wilgotniejące wnętrze. Jęknęła. Zacisnęła palce na jego nadgarstku i pchnęła głębiej, bez słowa prosząc o jeszcze.

Nadal była dziewicą. Wprawdzie gotowa była oddać się Jeremiemu przed ślubem – przyjaciółki twierdziły, że powinna sprawdzić, czy są dobrani także pod względem seksu – ale on powtarzał, że chce wziąć za żonę niewinną księżniczkę i spędzić z nią najpiękniejszą noc poślubną. Po tym, co potrafił sprawić dłonią, była pewna, że da jej niezapomniane przeżycia.

W tej chwili niczym wirtuoz uderzał w najczulsze struny, by w niecałą minutę doprowadzić ją do rozkoszy. Był naprawdę niesamowity…

Przytrzymał ją, gdy wygięła się do tyłu, jęcząc cicho. Wbił się językiem w jej uchylone usta i całował dotąd, aż całkiem straciła oddech i zwisła niemal bez przytomności w jego ramionach.

– Zostań. To dopiero początek – zaszeptał kusząco.

Nagle oprzytomniała. Pokręciła głową i umknęła jego zaborczym dłoniom.

– Muszę iść – rzekła chłodnym tonem.

Z niedawnej rozkoszy, którą on ją tak chętnie obdarował, nie został nawet ślad. Wyszła, zamykając za sobą drzwi. Kopnął w nie z całej siły. Weronika, słysząc huk za plecami, drgnęła. Obejrzała się za siebie, po czym wzruszyła ramionami i pobiegła na przystanek. Na spotkanie z tym mężczyzną nie chciała się spóźnić.

Zadra czekał na nią w najdalszym kącie „Słodkiej Dziurki". Spostrzegł dziewczynę, gdy ta zatrzymała się w drzwiach, machnął ręką, by zwrócić jej uwagę, po czym patrzył, jak idzie przez salę, smukła, dziewczęca i piękna w błękitnej sukience. Urocza jako siedemnastolatka, wyrosła na płomiennowłosą rusałkę o wielkich, zielonych oczach. Potrafiłaby zawrócić mu w głowie, gdyby nie zrobiła tego parę lat wcześniej…

– Przepraszam za spóźnienie – zaczęła, ale machnął pobłażliwie ręką.

– Napijesz się czegoś? Masz ochotę na ciasto? Dziś jest szarlotka-palce-lizać. Z bitą śmietaną i lodami waniliowymi.

Zaprzeczyła. Po kopniaku, jakim Jeremi poczęstował drzwi, wiedziała, że powinna jak najszybciej wracać. Rzadko wpadał we wściekłość i długo się na Weronikę nie gniewał, ale wolała dmuchać na zimne. Do ślubu pozostały trzy tygodnie. Nie mogła ryzykować, że Jeremi w gniewie zerwie zaręczyny.

– Czy mógłby pan przekazać to Wiktorowi? – Przesunęła kopertę ku mężczyźnie.

– Łapówka? – zażartował, chociaż domyślał się, co jest w środku. Zabolało go, że zaproszenie jest tylko jedno.

Wyjął ze środka ozdobny kartonik. Przeczytał półgłosem:

– „Weronika Nocyk i Jeremi Wiśniowski pragną zaprosić pana Wiktora Helerta na ślub, który odbędzie się...". Jesteś pewna, że wiesz, co robisz? – Uniósł wzrok. Spojrzał na Weronikę. – Zapraszasz Helerta na ślub z innym. Odważna jesteś...

– Nie wyobrażam sobie, bym mogła go pominąć – odparła cicho. – Jest... był... – Urwała, nieszczęśliwa i zagubiona. – Pozostał mi tylko on. Ojciec przepadł, matka... – Machnęła ręką. – Przyjaciele nie przyjdą, pogrążeni w żałobie. Jedynie Wiktor będzie moim i tylko moim gościem. Chciałabym, żeby przekazał mu pan zaproszenie i prośbę, by przyszedł.

Milczał chwilę, obracając kopertę w dłoniach, by wreszcie rzec:

– Wypuścili go.

Oniemiała. Oczy jej zogromniały.

– Słucham? – wykrztusiła, jakby powiedział te dwa słowa w innym języku, więc powtórzył cierpliwie:

– Sama możesz przekazać mu zaproszenie, bo Helerta zwolnili za dobre sprawowanie, dwa tygodnie temu. Mieszka w Warszawie, w schronisku dla bezdomnych.

Przycisnęła rękę do serca, bo zabolało tak strasznie, jakby chciało umrzeć. Wiktor odsiedział wyrok! Był wolnym człowiekiem! Wczoraj mogła spotkać go na ulicy albo dworcu, bo stał się… bezdomnym! Czy los w końcu się nad nim ulituje?!

– Dlaczego nic mi pan nie powiedział?! Przecież przyjechałabym… Na każdego ktoś powinien czekać w takim dniu!

– Jesteś zaręczona, o ile mnie pamięć nie myli – zauważył z przekąsem.

– Jeremi by zrozumiał!

– Serio?

Zadra przyglądał się dziewczynie z krzywym uśmieszkiem, jakby wiedział więcej, niż powinien.

– Najwyżej skłamałabym, że jadę do przyjaciółki, zaprosić ją na ślub, jakie to ma znaczenie?! W takiej chwili, gdy wychodzi z więzienia po trzech latach odsiadki, Wiktor nie powinien być sam!

– I nie był.

– Niby kto na niego czekał? Matka? Ojciec? Może jego najlepszy przyjaciel? – Skrzywiła się przy tym słowie, by nie było wątpliwości, kogo ma na myśli.

– I tu się mylisz, kochana… – Zadra, ugodzony do żywego, zawiesił głos. – Na Helerta czekała dziewczyna.

Weronika opadła na oparcie krzesła, jakby ją zastrzelił. Łapała powietrze małymi haustami, błagając wzrokiem, by zaprzeczył, ale on patrzył na nią beznamiętnie.

– Wiktorowi niczego nie brakuje – zauważył. – Przygruchał na przepustce laskę i, o ile jestem na bieżąco, nadal ze sobą kręcą. Ona mieszka kątem u rodziców, on szuka pracy, ale nie mam wątpliwości, że to kwestia czasu, jak ktoś się umiejętnościami Helerta zainteresuje, bo komputery, informatykę i internet ma w małym palcu, wtedy dostanie dobrą robotę, wynajmie mieszkanie i zacznie wić z Anetą miłosne gniazdko.

„Aneta... Miłość Wiktora ma na imię Aneta...", kołatało się po pustym umyśle dziewczyny. „To koniec. Jeśli Wiktor pokochał inną, nie ma dla mnie nadziei. Nigdy nie było", uzmysłowiła sobie z goryczą.

Nie dostali od losu najmniejszej szansy, żeby razem być. Raz spróbowali i trwało to niecały miesiąc. A przecież to ona dwa tygodnie temu mogła na niego czekać pod bramą więzienia. To z nią mógłby zamieszkać tutaj, we Wrocławiu, gdyby znalazł pracę. Skończyłaby studia, wzięliby ślub, podła przeszłość odeszłaby w niepamięć. Na początku byłoby im ciężko, bez rodziny, bez wsparcia, ale daliby sobie radę, mając siebie. Tak. Dziś mogłaby wracać do Wiktora, nie do Jeremiego, gdyby kilka miesięcy temu, pewnego popołudnia pobiegła za tym pierwszym, a nie została z tym drugim.

Szok i szarpiąca duszę rozpacz, kazały dziewczynie wstać i ruszyć do wyjścia. Zadra odprowadził ją nieruchomym wzrokiem.

Bez względu na koszty, zadanie wykonano.

Przynajmniej tak się podłemu manipulantowi zdawało.

Odchorowała to spotkanie. Cały tydzień przeleżała z gorączką, odmawiając jedzenia, i patrzyła niewidzącym spojrzeniem w sufit. Nie wolno jej było płakać. Nie miała się komu zwierzyć. Nikt nie mógł wiedzieć, że umiera z rozpaczy za Wiktorem. Po tygodniu, gdy Wiśniowscy gotowi byli wieźć ją do szpitala, wstała, narzuciła na grzbiet pierwsze lepsze ciuchy, chwyciła plecak z portfelem, nakreśliła kilka słów na kartce, by nie przyszło im do głowy jej szukać, i wymknęła się z domu.

Najkrótsza droga do miejsca, gdzie chciała się znaleźć, prowadziła przez Warszawę, ale jeśli Weronika miała zachować resztkę zdrowych zmysłów, musiała ominąć miasto szerokim łukiem. Ruszyła więc przez Lublin, Siedlce i Białystok. Późnym wieczorem złapała ostatni pekaes i godzinę później, słaniając się na nogach, dotarła na miejsce.

Była ciepła, wrześniowa noc. Niebo nad głową dziewczyny lśniło blaskiem dalekich gwiazd. Nikt nie pilnował bramy małego cmentarza, mogła pchnąć jedno skrzydło i wejść do środka. Była tu tylko raz, ale trafiłaby na miejsce nawet z zawiązanymi oczami. Grób wydawał się taki opuszczony i samotny jak ona sama…

Upadła na kolana. Wyciągnęła z plecaka małe, pożółkłe ze starości pudełko. Przytuliła policzek do ciepłej ziemi i nacisnęła guzik.

Piip. „Nie mogę teraz odebrać telefonu. Proszę o pozostawienie wiadomości". Piip.

Łzy, powstrzymywane siłą przez cały ten czas, w końcu popłynęły. Kapały na listki niezapominajek, które ktoś tu zasadził, kapały na jej dłoń, gładzącą surową ziemię. Opłakiwała babcię Stefanię i Józia Białego. Opłakiwała małą

Weronikę i jej przyjaciela, Wiktora – dzieci, które powinny być kochane, bo każdy rodzi się z prawem do miłości. Opłakiwała dziewczynę i chłopaka, którzy po parszywym dzieciństwie, zafundowanym im przez najbliższych, powinni być szczęśliwi, bo każdy ma prawo do szczęścia. W końcu płakała nad własnym losem, bo dopiero dziś – gdy straciła Wiktora bezpowrotnie – zrozumiała, jak straszny popełniła błąd. Nieważne, czy kochaliby się do końca życia, czy rozeszliby się po miesiącu, roku albo dwóch, powinni ze sobą być. Powinni spróbować. Ponownie dać sobie szansę!

Tuliła się do grobu babci, wbijała zęby we własną dłoń i krzyczała bezgłośnie dotąd, aż zabrakło jej sił i łez, a pytania „Dlaczego?!" i „Za co?!" zamarły jej w końcu w gardle. Nieczuły Bóg nie zamierzał odpowiedzieć. Nadchodził świt.

Brama cmentarza zatrzasnęła się na głucho za plecami dziewczyny. Ona sama raz na zawsze zamknęła drzwi do przeszłości.

Zaczynała nowe życie.

Bez Wiktora.

ROZDZIAŁ XX
WERONIKA

Dopiero dziś zdaję sobie sprawę, jak bardzo się wtedy pogubiłam. Zamiast iść za głosem serca, które wyrywało się do Wiktora, próbowałam słuchać rozsądku. Ten dobry jest przy inwestycjach w nieruchomości, ale przy wybieraniu życiowego partnera już niekoniecznie. Zagłusza intuicję. Ta ostrzegała, że popełniam błąd, stawiając na Wiśniowskich, ale ja – i mój rozsądek – pragnąca za wszelką cenę stabilizacji, domu i rodziny, byłam głucha na podszepty intuicji, nie chciałam słuchać serca. Nie widziałam tego, co moi koledzy i koleżanki próbowali delikatnie mi przekazać: Jeremi to manipulant, dwulicowy i zakłamany, który zrobi i powie wszystko, byle osiągnąć cel. Mogliby z Zadrą podać sobie ręce.

Ja, naiwna do bólu i wciąż wierząca w ludzkie dobro, ludzką prawość, dałam się rozegrać pierwszemu, a teraz byłam rozgrywana przez drugiego.

Intuicja próbowała ostrzec. Ja się jeszcze broniłam. Biegnąc na spotkanie z Zadrą, z zaproszeniem ukrytym na dnie torebki, tak, żeby Jeremi przypadkiem go nie znalazł, roiłam sobie, że Wiktor w ostatniej chwili porwie mnie sprzed ołtarza. Przecież po to zapraszałam go na ślub! Och, głośno bym się do takich myśli nie przyznała, przecież wybrałam, ale w głębi ducha tak właśnie było.

Wiadomość, że Wiktor jest szczęśliwy z inną, spadła na mnie jak grom z jasnego nieba. Właściwie nie wiem, dlaczego. Łudziłam się, że on, odrzucony przeze mnie raz na zawsze, do końca życia pozostanie mi wierny, czy co?! Zadra słowem nie zająknął się o szczęściu, ale ja od razu zobaczyłam tych dwoje, Wiktora i Anetkę, w pięknym, małym domku, otoczonych gromadką uśmiechniętych dzieci – przeklęta wyobraźnia! Przecież Zadra, cholerny manipulant mógł łgać, Anetkę mógł zmyślić, by nadal trzymać mnie na dystans!

Czy kiedykolwiek powiedziałam: sprawdzam? Czy choć raz poddałam w wątpliwość jego słowa? Dlaczego nie próbowałam za wszelką cenę zobaczyć się z Wiktorem i usłyszeć, co on sam ma mi do powiedzenia?! Odpowiedź jest banalna. Dzisiaj. Wtedy taka prosta nie była. Bałam się, że moje marzenia prysną jak złoty sen. Bałam się, że Wiktor potwierdzi wszystko, co Zadra latami próbował mi wmówić: „Jesteś mi obojętna. Nie kocham cię i właściwie nigdy nie kochałem. Winię cię za wszystko złe, co mnie spotkało. Przez ciebie trafiłem do więzienia. Dostałem wyrok wyższy, niż mi się należał. Kochać cię? Nika, jesteś godna li tylko nienawiści!". To właśnie bałam się usłyszeć…

Cóż, Weroniczko, twój błąd.

Szykuj się do ślubu z Jeremim.
Uprzedzam: będzie bolało.

Wybór sukni ślubnej powinien być jedną z najpiękniejszych chwil w życiu panny młodej. Czy może być coś rozkoszniejszego, niż przymierzanie cudnych kreacji? Przez parę godzin stajesz się księżniczką, dookoła której uwijają się ekspedientki albo krawcowe. Twoja przyjaciółka, siostra czy mama patrzą z zachwytem, jak brzydkie kaczątko zmienia się w łabędzia. Jedwab spływa chłodnym strumieniem po nagim ciele, szeleszczą halki, mgła welonu owija twoją sylwetkę, a ty jesteś po prostu szczęśliwa. Zachwycona i szczęśliwa.

Weronice ta chwila została odebrana.

Od rodziców na ślub nie dostała ani grosza. Z ojcem nie było kontaktu, matka… mniejsza z tym, jedyne fundusze, jakie Weronika posiadała, pochodziły z jej oszczędności.

Żyła skromnie, ciułając każdy grosz z tygodniówki, dorabiała myciem okien i sprzątaniem mieszkań, ale nie były to znaczące dochody. Studia zajmowały jej gros czasu, nie miała go zbyt wiele, sił też nie, na ciężką pracę fizyczną. Tylko w niektóre weekendy, ferie i wakacje mogła podreperować budżet. Ojciec przysyłał jej pieniądze jedynie na akademik i jedzenie. Na całą resztę – ciuchy i książki – musiała zarobić sama, toteż jej oszczędności były mniej niż skromne.

Wczoraj zajrzała do kilku salonów ślubnych i załamała się. Dla niej, niebogatej studentki weterynarii, ceny były horrendalne! Wysupłała z portfela kilka banknotów. Spojrzała na nie z rozpaczą. Nie wystarczą na najskromniejszą kreację... Poczuła piekące łzy rozczarowania. Pasjami czytała powieści kończące się „żyli długo i szczęśliwie", w których pannę młodą w cudnej sukni wiódł do ołtarza wzruszony ojciec. Ojca nie będzie, więc może chociaż suknia...? Niestety. Te dwieście złotych, które ściskała w ręku, wystarczy jej na jutowy worek. I skromny welonik.

Co robić?

Gdyby poprosiła przyjaciół – choćby doktora Kochanowskiego, może nawet braci Białych – pożyczyliby jej przecież pieniądze na tak ważny cel. Gdzie tam pożyczyli, po prostu podarowaliby jej kilka setek w prezencie ślubnym, była tego więcej niż pewna! Nie śmiała jednak prosić o pomoc.

Raz jeszcze ruszyła na poszukiwania, tym razem omijając salony w centrum miasta, i oto w witrynie skromnego sklepiku z używaną odzieżą ujrzała ją: ładną suknię kiedyś w kolorze écru, teraz brudnoszarą, z obcisłym gorsetem i szeroką spódnicą, ale co Weronikę zachwyciło, zdobioną nie perełkami czy kryształkami jak miliony jej podobnych, a mnóstwem maleńkich kokardek.

Weszła do sklepu, zapytała o cenę i zrezygnowana pokręciła głową. Kokardkowe cudo kosztowało trzysta złotych...

– Dla pani ma być ta suknia? – zapytała starsza kobieta, najwyraźniej właścicielka sklepiku.

Weronika przytaknęła, czując łzy pod powiekami. Powinna przebierać i wybierać, przymierzać, kręcić nosem, by wreszcie znaleźć tę jedyną. Tymczasem Weronika, owszem, znalazła, tyle tylko, że na wystawie „taniej odzieży", a i tak za drogą.

– Na bal kostiumowy? – dopytywała tamta.

– Na ślub – odparła cicho, chora ze wstydu i rozczarowania. Czy jakakolwiek panna młoda marzy o sukni z ciucholandu?! – Zostało mi niewiele czasu i jeszcze mniej pieniędzy – próbowała wyjaśniać, ale przerwano jej stanowczym gestem ręki.

– Ile masz, dziecko drogie, pieniędzy?

– Dwieście złotych – głos dziewczyny był coraz cichszy.

Kobieta przyglądała się jej przez chwilę ze współczuciem, po czym rzekła:

– Właśnie miałam zmieniać dekorację… Weź ją, kochana, za tyle, ile masz i bądź szczęśliwa w tym pięknym dniu.

Dziewczyna podniosła na nią oczy, w których nie było radości.

– Dziękuję. – Spróbowała się uśmiechnąć.

– Przyszła w komplecie z welonem. Chętnie ci go podaruję.

– Naprawdę? – Tym razem uśmiech rozjaśnił przygaszone spojrzenie.

– Powinnaś oddać ją do prania, ale boję się, że koszt przewyższy cenę sukni. Płyn do tkanin delikatnych powinien sobie ze wszystkim poradzić. To ładna sukienka. Odświeżona zachwyci narzeczonego i gości. Chcesz ją przymierzyć?

Weronika pokręciła głową. Prawdę mówiąc, chciała być w swoim pokoju, w łóżku, z kołdrą naciągniętą na głowę. Ślubnych zakupów i związanych z tym przykrości miała na dzisiaj dosyć.

O dziwo, suknia po porządnym praniu, które Weronika zafundowała jej zaraz po powrocie do akademika, zaczęła wyglądać całkiem, całkiem. Atłas, z którego była uszyta, odzyskał blask, szarość ustąpiła miejsca ciepłej bieli, kokardki po prostu rozczulały, zaś sama Weronika, która w końcu odważyła się założyć suknię... zachwyciła przyjaciółki. I siebie samą też.

Gorset pięknie podkreślał szczupłą talię, spódnica unosiła się na czterech halkach, maleńkie kryształki pośrodku kokardek rzucały świetliste refleksy, całości dopełniał ręcznie haftowany welon, który otulił dziewczynę od stóp do głów.

– Gdzie znalazłaś to cudo?! – wykrzyknęła w zachwycie Zuzka. – Wyglądasz zjawiskowo! Jak Kopciuszek trzepnięty czarodziejską różdżką!

Weronika roześmiała się, znów szczęśliwa. Odbicie w lustrze mówiło to samo, co przyjaciółka: była śliczna. I suknia, i ona sama. Obróciła się. Spódnica zawirowała. Nikt – a na pewno nie Wiśniowscy – nie może się dowiedzieć, że kupiła suknię w ciucholandzie! Ojciec przysłał jej pieniądze, tak powie. Niewielkie, ale wystarczyło na zakup w znanym salonie. Na co dzień brzydziła się kłamstwem, ale tym razem będzie łgać bez mrugnięcia okiem.

Pierwszy października zbliżał się wielkimi krokami. Weroniką miotały emocje tak skrajne – od euforii po dziki strach – że przyjaciółki zaczęły parzyć dla niej meliskę. W przeddzień ślubu spokojna, wręcz zrezygnowana, wiedząc, że wynik bitwy jest przesądzony, witała w skromnych progach akademika koleżanki zaproszone na wieczór panieński. Rozchichotane siadały gdzie która mogła, pokój był doprawdy niewielki, wyciągały z plecaków alkohol i słodycze, dzieląc się zdobyczą z gospodynią i sobą nawzajem. Strzelił szampan. Rozlały go do pięciu kubków.

– Gdzie imprezuje Jeremi? – zaciekawiła się Zuzka.

Odpowiedziało jej wieloznaczne wzruszenie ramion. Weronika albo nie wiedziała, albo nie chciała tego wiedzieć.

– To prezent od nas wszystkich. – Marta podała przyjaciółce spore, pięknie zapakowane pudło.

– Nie trzeba było! Najlepszym prezentem jesteście wy! Dziękuję, że przyszłyście!

– Wypij. – Zuzka stanowczym gestem podsunęła jej kubek z szampanem. – Do dna. Za szczęście w małżeństwie. A teraz rozpakuj.

Weronika rozwiązała kokardę, rozdarła ozdobny papier i płonąc z ciekawości, zajrzała do środka. Dziewczęta spojrzały po sobie i zaczęły chichotać. W pudle znajdowało się drugie, nieco mniejsze.

– Pij, na drugą nogę. – Zuzka była bezlitosna. – Za miłość.

W mniejszym pudle kolejne…

I następny kubek. Weronice zrobiło się radośnie na duszy. Widząc następne pudełko roześmiała się w głos.

– Nie mówcie, że na nową drogę życia obdarowałyście mnie pustymi pudłami!

– Czymś znacznie lepszym i bardziej przydatnym – odparła tajemniczo Marta.

Gdy Weronika, mocno już spojona szampanem, wyjęła ostatnią, najmniejszą paczuszkę i rozwinęła papier, aż wytrzeszczyła oczy ze zdumienia, a potem zaczęła się śmiać.

– Czy wiesz, ile nas kosztowało zdobycie tej kasety?

Zuzka patrzyła na prezent z prawdziwą dumą. Powinna się również zawstydzić, ale była na to zbyt pijana. Weronika trzymała w ręku pornos o wdzięcznym tytule „Dwa w jednej" i śmiała się jak szalona.

Włączyły film.

Dobrze, że w piątkowy wieczór, ostatni przed rozpoczęciem zajęć, akademik imprezował na całego i nikt nie słyszał obscenicznych dźwięków, dochodzących z telewizora, a także krzyków, pisków, śmiechów i komentarzy druhen, bo dziewczyny miałyby przechlapane do końca studiów.

Tymczasem przechlapane miała jedynie Weronika…

Oczywiście wiedziała, jak zbudowany jest mężczyzna, kształciła się na lekarza przecież!, ale to, co zobaczyła na ekranie telewizora, po prostu ją zszokowało.

– T-to niemożliwe – wykrztusiła już przy pierwszej scenie, trzeźwiejąc raptownie. – On się tam nie zmieści. Nie ma takiej mocy…

– Jak popieści, to się zmieści! – wykrzyknęła Zuzka, czym doprowadziła koleżanki do spazmów śmiechu.

– To… jest jak u konia – szeptała Weronika, coraz bardziej przerażona. Kumpelki mogły sobie stroić żarty, ale to ona zostanie jutro potraktowana czymś tak monstrualnym. – Macie ten pierwszy raz za sobą. Jakim cudem przeżyłyście…? Przecież to mnie normalnie rozerwie!

Dziewczyny płakały z radości.

Ona, która ledwo znosiła palec Jeremiego w swojej płci, również była bliska łez. Nigdy nie widziała go nagiego. Nie miała pojęcia, czego się spodziewać, jeśli on jest tak hojnie wyposażony jak facet z pornola… Przygryzła dłoń, żeby się nie rozpłakać.

– Przecież to mutant. – Zuzka wskazała na ekran. – Normalnie są mniejsze. Pij. – Podetknęła przyjaciółce kubek z resztą szampana i dodała: – Jutro przyda ci się coś podobnego na nerwy.

– Nie chcę być pijana w noc poślubną!

– Patrząc na ciebie, myślę sobie: chcesz.

Weronika powróciła spojrzeniem do ekranu. Mutant zatapiał właśnie potężny pal w drugim otworze kochanki. Dziewczyna poczuła, jak robi się jej niedobrze. Rzuciła się do łazienki…

Jej przyjaciółki, które chciały przecież dobrze!, słysząc

łkanie, dochodzące zza zamkniętych drzwi, spojrzały po sobie, nagle trzeźwe.

– To chyba nie był najlepszy pomysł – odezwała się Marta.

Nie. Uczenie dziewicy seksu tuż przed nocą poślubną z pornokasety okazało się bardzo złym pomysłem. Nawet kilka kieliszków wódki z sokiem pomarańczowym później Weronika nie może wyjść ze zadziwienia... Naprawdę TO ma się jutro zmieścić w jej wąskim wnętrzu? Serio?!

Niewinny żart druhen okaże się brzemienny w skutki. Na szczęście ani one, ani Weronika, jeszcze o tym nie wiedzą. Niech w ostatni wieczór wolności zaśmiewają się z „tego" do łez. Niech żartują sobie z pozycji, akrobacji, wielkości, długości i czego tam chcą, próbując oswoić przyjaciółkę, najwyraźniej zupełnie „zieloną" z tym, co ją czeka.

Jutro skrada się cicho na miękkich łapach. Zagląda do pokoju, gdzie śmiech powoli cichnie, dziewczęta, ufnie wtulone jedna w drugą, zapadają w sen. Weronika także. Śpij, moja kochana, śnij o wielkiej miłości. Jutro rozwija czarne skrzydła i znika bezszelestnie, tak jak się pojawiło, by powrócić o świcie.

ROZDZIAŁ XXI

ŚLUB

Słońce nie chciało wyjść zza chmur i pobłogosławić jasnym blaskiem pary młodej. Nie chciało i już! Goście zgromadzeni przed kościołem co chwila zerkali w niebo, zastanawiając się na głos: będzie padać czy nie?

Gdy pod piękny, stary kościół podjechała długa limuzyna, szepty umilkły. Każdy chciał wreszcie poznać przyszłą synową doktorstwa Wiśniowskich. Jakoś nie chwalili się nią na salonach, zupełnie jakby Weronika była jakąś wstydliwą tajemnicą. Trupem w szafie co najmniej.

Drzwi samochodu uchyliły się, Jeremi wysiadł pierwszy i wyciągnął rękę do postaci, skrywającej się we wnętrzu auta. Oczom zebranych ukazała się jego wybranka. I z miejsca zachwyciła.

Otulona białą mgiełką tiulu, w pięknej, oryginalnej sukni zdobionej uroczymi kokardkami, z włosami upiętymi kunsztownie w koronę, delikatnie umalowana, płynęła przez dziedziniec, niczym biały łabędź spokojnymi wodami jeziora, uśmiechając się nieśmiało do zebranych gości, z których nie znała nikogo.

– Śliczna ta nasza Weronka – odezwał się z dumą doktor Wiśniowski.

Rzeczywiście, panowie nie mogli oderwać od dziewczyny zachwyconych oczu.

– Wygląda godnie – zgodziła się łaskawie jego żona. – Mam nadzieję, że nie przyniesie nam wstydu i nie spije się na weselu.

– Jest dobrze wychowana – zauważył. – W razie czego każę Jaremie ją wyprowadzić. On już sobie z nią poradzi. – W oczach mężczyzny pojawił się ostry błysk. Gdyby ktoś obserwował panią Genowefę, zauważyłby jak w tym momencie kuli ramiona. W następnym szybko się prostuje.

– Przeszedł dobrą szkołę – odpowiada mężowi, święcie przekonana do jego metod wychowawczych.

– Kobietę trzeba traktować jak cennego konia: rzadko karać, często nagradzać – zauważa jeden z ich przyjaciół. Inny, słuchając tych mądrości, zaczyna rechotać.

W tłumie weselników jest jednak ktoś, kogo te żarciki nie bawią wcale. I właśnie on zaczyna przyglądać się uważnie rodzicom pana młodego, a potem Jeremiemu, wypatrując pierwszych sygnałów zagrożenia. Weronika potyka się na schodku kościoła. Jeremi podtrzymuje ją. Wbija przy tym palce w jej ramię w niemym ostrzeżeniu tak mocno, że dziewczyna krzywi się mimowolnie z bólu i próbuje wyswobodzić rękę, ale tamten nie puszcza.

Nikt nie zauważa drobnego incydentu, oprócz obserwatora. Wiktor Helert, bo to on nie spuszcza wzroku z pary młodej, zaciska szczęki z bezsilnej złości. Wie już wszystko. Pytanie, czy Weronika również jest świadoma, komu za chwilę będzie przysięgać miłość, wierność i posłuszeństwo…

Ceremonia dobiegła końca. W momencie, gdy sopranistka z Opery Wrocławskiej zaczęła krystalicznie czystym głosem śpiewać „Ave Maria", słoneczny promień przedarł się przez zagniewane niebiosa i dotknął włosów pogrążonej w modlitwie Weroniki, jakby ją błogosławił. Uniosła wzrok, spojrzała w okno i uśmiechnęła się.

Strach, z którym wkraczała na nową drogę życia, znikł. W tej pięknej chwili, słuchając dźwięków pieśni, czuła w sercu spokój. I pewność, że teraz już wszystko będzie dobrze. Ma męża, może niedługo, gdy tylko skończy studia, pojawi się maleńki synek albo śliczna córeczka? Wiśniowscy już zadeklarowali, że kupią im dom pod Wrocławiem. Weronika zamieszka we własnym domu! Będzie miała swój kąt! Przyszłość rysowała się w jasnych barwach.

Śpiew umilkł.

Jeremi ujął swoją żonę za łokieć i pomógł jej wstać.

– Kocham cię. Jesteś taka piękna – szepnął z głębi duszy. Posłała mu słodki, pełen wdzięczności uśmiech – Nie mogę się doczekać nocy…

Uśmiech zgasł.

Jeremi z dumą wiódł Weronikę środkiem kościoła. Ona próbowała wyglądać na radosną i szczęśliwą, ale strach powoli odbierał dziewczynie spokój, który czuła jeszcze przed chwilą.

Nagle… jej zielone, błyszczące od łez niedawnego wzruszenia oczy, napotkały spojrzenie mroczne, niczym nocne niebo. Zabrakło jej oddechu. To niemożliwe! Zaplątała się w suknię, potknęła jak wtedy, na schodach. I znów wbiły się w jej ramię palce Jeremiego. Jęknęła mimowolnie z bólu. Nie puścił, ale ona już tego nie czuła.

Szła jak we śnie, wpatrzona w oczy Wiktora. Nie było w nich uśmiechu. Chłonął piękny obraz Weroniki całym sobą i czuł, że umiera z żalu. Należała już do innego. Do skurwiela, który znów sprawiał jej ból – Wiktor widział przecież, jak tamten miażdży jej ramię. Próbowała się uśmiechnąć. Do niego, do Wiktora, ale usta jej zadrżały i musiała je zacisnąć, żeby się nie rozpłakać. W tym momencie dostrzegł go Jeremi. Uniósł brwi ze zdumienia, posłał Weronice krótkie spojrzenie, po czym zacisnął palce jeszcze mocniej, karząc nowo poślubioną żonę za obecność tamtego.

– Jak śmiałaś go zaprosić? – syknął i zaraz uśmiechnął się, żeby nikt z gości nie poznał, że wydarzyło się między nimi coś złego.

– Puść. To boli – odpowiedziała tym samym.

Nie zwolnił uścisku dotąd, aż wyszli na zewnątrz.

Weronika odsunęła się od męża i potarła ramię. Oto w prezencie ślubnym podarował jej pięć siniaków. Objął ją w talii, przycisnął do swego boku i zaczął przyjmować zasłużone gratulacje. Oboje czekali w napięciu na pojawienie się Wiktora, ale ten najwidoczniej nie zamierzał składać parze młodej żadnych życzeń.

Goście przechodzili do podstawionych autokarów. Po ceremonii nadszedł czas na dobrą zabawę. Oj, będzie udana. Bez dwóch zdań…

Na wesele państwo Wiśniowscy wynajęli cały podwrocławski zamek. Na parterze znajdowała się sala balowa, goście zaś mogli nocować w pokojach na piętrze. Największą i najwspanialszą sypialnię przygotowano oczywiście dla nowożeńców.

Weronika przestąpiła progi komnaty i oczy jej rozbłysły z niekłamanego zachwytu. Pokój był ogromny, trzy okna wpuszczały do środka światło gasnącego dnia. Ściany obito szkarłatną tapetą, łoże zasłano bogato zdobioną złotym haftem narzutą w tym samym kolorze. Podeszła do toaletki, będącej małym dziełem sztuki, spojrzała na swoje odbicie w lustrzanej tafli i uśmiechnęła się do siebie samej. Wyglądała pięknie i cieszyła się, że Wiktor mógł ją taką widzieć.

Wiktor?! Na miłość boską, jest dzień twojego ślubu z Jeremim, a ty wciąż o Wiktorze?!

Jeremi podszedł, stanął za jej plecami, objął wpół i zajrzał w pociemniałe źrenice młodej żony.

– Chciałbym zrobić to już teraz, tak bardzo cię pragnę, ale czekałem tak długo, że wytrzymam jeszcze trochę – odezwał się chrapliwym głosem, pieszcząc niespiesznie jej pierś, ukrytą pod gorsetem. – To musi być niezapomniana noc i dla ciebie, i dla mnie.

Posłała mu spłoszone spojrzenie. Każda wzmianka o tym, co ma nastąpić, napawała ją przerażeniem.

– Chodź, zejdziemy na dół. Goście czekają. – Puścił ją i skierował się do drzwi. Nagle stanął, jakby coś sobie przypomniał. – Nie waż się spotkać z tym swoim bandziorem sam na sam. Jeśli go dorwę…

Groźba zawisła między nimi. Weronika powinna wzruszyć ramionami, bo co niby Jeremi może zrobić Wiktorowi? Pogrozi mu palcem? Poczęstuje pięścią? Jeśli chce znów skompromitować się przed znajomymi, może próbować. Wiktor na pewno nie pozwoli się uderzyć i Jeremi znów odbije się od ściany. Parsknęła śmiechem. Odwrócił się do niej niczym atakująca żmija. Błyskawicznie. Dopadł dziewczyny, chwycił za ramiona. Cofnęła się przerażona tym niespodziewanym atakiem i wyrazem jego twarzy, ale trzymał mocno.

– Co cię tak śmieszy? – wycedził.

Ją nagle ogarnął gniew.

– Opanuj się! I puść, bo to boli! Wystarczy, że będę miała pięć pamiątek po twoich szponach, naprawdę nie potrzebuję następnych!

Furia w jego oczach nie gasła. W jej również nie.

– Jeszcze się mogę rozmyślić – mówiła dalej. – Nie skonsumowaliśmy małżeństwa. Rozwód dostanę. Tak więc opanuj się, albo na wesele zejdzie pan młody bez małżonki!

Jakby ktoś pstryknął przełącznikiem... Mężczyzna zmalał, spokorniał. Rozwarł palce, jeszcze przed chwilą miażdżące ramiona dziewczyny i, rozcierając miejsca, w których zostawiły czerwone ślady, odezwał się błagalnie:

– Nie zrobiłabyś mi tego. Przecież wiesz, że kocham cię do szaleństwa. Nie zniósłbym myśli, że rozglądasz się za innym. Po prostu nie wytrzymałbym tego. – Głos mu się załamał. Do oczu nabiegły łzy.

Odwróciła się z niesmakiem. Skóra na ramionach paliła. Nie mogła patrzeć na jego przymilny uśmiech. Nie mogła słuchać jękliwego głosu. Pragnęła zostać sama w tym wspaniałym pokoju albo gdziekolwiek!, zasnąć i obudzić nazajutrz, gdy będzie po wszystkim.

– Możemy zejść na dół? – Poprosił. – Wszyscy czekają na moją piękną żonę.

Nie miała wyboru. Nie mogła odmówić. Otworzył przed nią drzwi.

Gdy schodziła po szerokich stopniach, wyściełanych czerwonym dywanem, czując za plecami ciężki oddech Jeremiego, przemknęło jej przez myśl, że ten za chwilę ją popchnie, potem będzie patrzył, jak ona spada, leci w dół, obija się o schody, by paść u ich stóp ze złamanym karkiem.

I mimo że w następnej chwili roześmiała się w duchu ze swojej wybujałej wyobraźni, gdzieś w głębi serca czuła narastający chłód. Odetchnęła dopiero, gdy Jeremi znalazł się obok niej i razem weszli do wspaniałej sali balowej, wypełnionej gośćmi, światłem i muzyką.

ROZDZIAŁ XXII
WIKTOR

Był drapieżnikiem i właśnie tak, jak urodzony łowca, podchodził swoją ofiarę. Nie była nią Weronika – na drugą połowę swojej duszy nie trzeba polować – lecz cwel, który sprawił jej ból. Wiktor nie wiedział jeszcze do czego jest zdolny Jeremi-jakiś-tam. Miał całą noc, by się tego dowiedzieć. Jeśli tamten jest tylko nieszkodliwym gnojkiem, da mu spokój. Weronika sama sobie z nim poradzi. Lecz jeśli instynkt drapieżnika go nie mylił...

Przyjechał do posiadłości, w której trwało weselisko, później niż wszyscy goście. Po ślubie, na którym patrzył jak Weronika, miłość jego życia, oddaje rękę innemu, poszedł na kilka głębszych, co bynajmniej nie stępiło bystrości jego umysłu, nawet nie poczuł, że wypił, tak nakręcała go adrenalina, po czym wsiadł w taksówkę i podał adres zamku pod Wrocławiem. Tam, zgodnie z informacją na zaproszeniu, państwo młodzi zapraszali na wesele, przy czym Jeremi

-kutas-złamany odgryzłby sobie zapewne rękę, żeby tylko nie zaprosić Wiktora, on był tego dziwnie pewien.

Gdy taksówka zatrzymała się na podjeździe, zabawa jeszcze się nie rozpoczęła. Goście czekali na nowożeńców, którzy zamarudzili na piętrze. Wiktora aż skręcało, gdy słuchał sprośnych dociekań, co pan młody robi z panną młodą, że tak długo im schodzi...

W ogóle nie powinno tu Wiktora być, wiedział o tym doskonale. Trzymać się od Weroniki z daleka: takie hasło przyświecało mu przez ostatnie trzy lata i wyjście na wolność nic tutaj nie zmieniło. Gdy Zadra z krzywym uśmiechem wręczył mu zaproszenie, powinien podrzeć je i wyrzucić, ale... nie mógł tego uczynić.

– Pojedziesz? – tamten zapytał z ciekawością.

– Kiedyś przyrzekłeś, że Weronika będzie bezpieczna – odparł Wiktor, niby bez związku. – Chcę wiedzieć, czy dotrzymujesz słowa. Ja dotrzymałem.

Jechał do Wrocławia, znienawidzonego Wrocławia, z mieszaniną uczuć w sercu. Tak bardzo pragnął ją zobaczyć... Zraniła go śmiertelnie, i nie było w tym porównaniu przesady, bo ostatnie spotkanie z Weroniką ledwo przeżył, mimo to była mu droga, jak nikt inny. Chciał być pewien, że przyszły mąż dobrze się Weroniką zaopiekuje.

Tymczasem był pewien czegoś całkiem przeciwnego...

Obserwował ją z daleka, widząc, ale nie będąc widocznym: jak wchodzi wreszcie do sali balowej, blada i piękna, jak zasiada za stołem, uginającym się od wykwintnego jedzenia… na łachudrę, będącego od dziś jej mężem, po prostu nie mógł patrzeć… Potem te wszystkie ślubne rytuały i zabawy. Wyglądała, jakby była zagubiona, jakby nie do końca wiedziała, co ona tu, na Boga, robi?!

Wiktor współczuł jej z całego serca, bo czułby się tak samo. Ani on, ani ona, nie wychowywali się w pełnej rodzinie, nie jeździli na śluby, zabawy i dyskoteki. On też czułby się nie na miejscu wśród setek rozbawionych, podpitych gości.

Muzycy zagrali walca. Jeremi wstał, wyciągnął rękę do Weroniki i poprowadził ją na środek parkietu. Odgarnęła swobodnym gestem welon na plecy, położyła dłoń na ramieniu męża, w drugą ujęła rąbek pięknej sukni i… Wiktor wstrzymał oddech. Boże mój, jak ta dziewczyna tańczyła... Wiktor poczuł łzy w oczach. Nie tylko zachwytu, ale też żalu, że to nie on obejmuje jej szczupłą kibić, nie w jego ramionach wiruje ukochana, nie on pochyla się ku niej i szepce do ucha coś, od czego Weronika ślicznie się rumieni. Nie odrywał od niej oczu i cierpiał.

Pierwszy taniec, drugi, dziesiąty.

Czekał…

Jeremi dawno wrócił na miejsce i przepijał do kumpli. Był już mocno urżnięty. Z nocy poślubnej nic nie będzie. Wiktor zaśmiał się w duchu z satysfakcją i wyszedł z ukrycia. Stanął tak, by tamten go nie widział, ale zauważyła ona.

Od spotkania w kościele wiedziała, że Wiktor może pojawić się na weselu. Dyskretnie przeszukiwała salę wzrokiem, ale jego w środku nie było. Przez cały ten czas stał na tarasie, w mroku, mógł uchodzić za jednego z ochrony. Teraz siedział przy najodleglejszym stole, wbijał w Weronikę czarne, płonące gorączką oczy i czekał…

Wreszcie! Dostrzegła go.

Wstał i ruszył z powrotem do wyjścia na taras. Jeżeli Weronika pragnie tego, co on – rozmowy, li tylko rozmowy! – pójdzie za nim.

Pochyliła się ku Jeremiemu.

Ten machnął ręką, jakby łaskawie zwalniał ją z obowiązków. Obeszła stoliki, rozmawiając z gośćmi. Wiktor z drugiej strony wielkich przeszklonych drzwi przyciągał ją wzrokiem i zaklęciami. „Chodź do mnie, miła moja. Porozmawiamy, nic więcej!"

I oto stała w drzwiach, a potem wychodziła na taras.

Zatrzymała się przy kamiennej balustradzie, wsparła na rękach i patrzyła na ogród. Biel sukni płonęła w ciemnościach. Obserwował ją z ogrodowej alejki, błagając, by zeszła do niego.

„Moja kochana", myślał z czułością, gdy zeszła po schodkach i niespiesznie ruszyła wysypaną żwirem ścieżką. Chwilę później był obok niej.

– Jesteś więc – odezwał się półgłosem.

– Jestem – odparła, nie patrząc na niego. Ot, panna młoda prowadzi grzeczną i niezobowiązującą rozmowę z drużbą.

Zdjął marynarkę i otulił jej ramiona. Uprzejmy drużba dba, by żona Jeremiego przypadkiem się nie przeziębiła. A przede wszystkim ukrywa pod marynarką biel jej sukni, która płonie w mroku niczym pochodnia.

– Kocham cię, Nisia, i nigdy nie przestanę kochać.

Słysząc jego ciche słowa poczuła, jakby wziął jej serce w dłonie i przytulił do piersi. Zdławiło ją w gardle ze wzruszenia i żalu. To on mógł dzisiaj przysięgać jej przed Bogiem i ludźmi, to jego żoną mogłaby w tej chwili być, to z nim dzisiejszej nocy…

Dość! Nie myśl o tym. Nie w tej magicznej chwili!

Dotknęła jego ramienia. Zatrzymał się i spojrzał prosto w błyszczące od łez oczy.

– Ja też cię kocham, Wiktor. I będę kochać zawsze.

Opuścił wzrok na jej usta. Oddałby pół życia za jeden pocałunek. Leciutko rozwarła wargi, marząc o tym, co on. Uniósł dłoń, pragnąc pogładzić je opuszką palca i wtedy…

– Dotknij ją, skurwielu, a zabiję.

Jeremi wyszedł z mroku i ruszył ku nim. Wyglądał… przerażająco. Oczy niemal wychodziły mu z orbit, palce przypominały szpony, wyszczerzył zęby, niczym wściekła bestia i zbliżał się… I przerażał.

Powinni od siebie odskoczyć, jak nakryci kochankowie zachowują się w takiej sytuacji, ale uczynili coś przeciwnego: ona chwyciła Wiktora za ramię, on przygarnął ją jedną ręką, drugą wysunął przed siebie. Stop! Nawet nie próbuj się do niej zbliżyć!

Tamten zatrzymał się dwa kroki przed nimi.

– To moja żona. Moja! – wycharczał z nienawiścią.

– Wiem. Do niczego nie doszło i nie dojdzie. – Wiktor pilnował, by jego głos brzmiał wyraźnie i spokojnie.

Miał do czynienia z psychopatami w szale, wiedział, do czego są zdolni. Nie bał się, przynajmniej nie o siebie, ale wiedział, że nie wolno ich prowokować. W przeciwnym razie poleje się krew.

– Rozmawialiśmy – mówił dalej. – Nic więcej.

Tamten sapał jak rozjuszony byk. Przekrwione oczy wbijały się w Weronikę, tę kurwę, która w dniu ślubu zdradza go z innym!

– Chodź ze mną – nakazał, wyciągając do niej dłoń. Już on jej pokaże… on kurwę nauczy, gdzie jej miejsce.

– Ona nigdzie nie pójdzie – usłyszał głos łajdusa, który właśnie wyrywał jego żonę i zwrócił się ku niemu.

– Dopóki się nie uspokoisz, zostanie tutaj. – Głos Wiktora stwardniał. Bestia patrzyła na niego. Odwrócił uwagę Jeremiego od ofiary, teraz trzeba było go poskromić. – Nie panujesz nad sobą. Jesteś pijany. Wracaj do gości, pójdziemy za tobą.

– Ty z moją żoną wrócisz na nasze wesele?! – Jeremi zaśmiał się takim głosem, że Weronika poczuła mdłości ze strachu. Nieruchome, lodowate oczy rekina pragnącego krwi znów utkwione były w niej.

To był moment.

Chwycił ją za rękę i szarpnął z całej siły.

Krzyknęła.

Wiktor uderzył raz, a celnie.

– Mamy mało czasu – zaszeptał, gdy bestia padła w krzaki. – On zaraz się ocknie. – Dotknął jej policzka. – Weroniczko... Nisiu... – Głos mu się załamał.

– Wiem, wszystko wiem. Ale już za późno. Ja mam męża, ty masz dziewczynę.

Spojrzał na nią zaskoczony. Powinien sprostować, że Aneta jest li tylko przyjaciółką, wolontariuszką w fundacji, która pomaga byłym więźniom, ale jakie to miało teraz znaczenie?

– On jest niebezpieczny – zwrócił wzrok na nieprzytomnego mężczyznę. – Wiedziałaś o tym?

– Kocha mnie do szaleństwa i do szaleństwa jest zazdrosny.

– Ja też cię kocham i też jestem zazdrosny, jednak potrafię nad sobą panować!

– Jeśli mnie pamięć nie myli, też potrafiłeś miotnąć mną o ścianę, czy chwycić za ramiona i wytrząsać duszę.

– Ale nigdy bym cię nie skrzywdził. On tak.

Pokręciła głową.

– To dobry, kochający człowiek.

I już wiedział, że jej nie przekona.

Tamten poruszył się. Mieli coraz mniej czasu.

Wiktor chwycił dłoń dziewczyny, wtulił usta w ciepłą, pachnącą bzem skórę.

– Uważaj na siebie, kochana. Mam adres mailowy, o którym nikt nie wie. Założyłem go dawno temu z myślą o takiej chwili. Zapamiętaj: mwm na Wirtualnej Polsce.

– Mwm?

– Moja wielka miłość.

Zaśmiała się cichutko.

– Zapamiętam na pewno.

– Gdyby coś się stało – pisz. Mogę nie odpowiedzieć, będę teraz dużo podróżował, ale wiedz, że przeczytam każde twoje słowo. I jeśli tylko będę w stanie, pomogę ci. Nie będziesz sama – mówił coraz szybciej, z rozpaczą.

Jeremi próbował się podnieść, stał na czworaka, niczym wielki pokraczny pies i chwiał się na wszystkie strony.

Weronika przypadła do Wiktora, ujęła jego twarz w dłonie i zaszeptała, coraz bardziej przerażona:

– Akademik przy Olszewskiego. Pokój 332. Pod moim łóżkiem jest pudełko pełne listów do ciebie. Musisz je stamtąd zabrać! Jeszcze dzisiaj! Nie mogą wpaść w jego ręce, rozumiesz?!

– Zostanę z tobą, on jest…

– Idź tam i zabierz te listy. Teraz!

Odepchnęła go.

Jeszcze się wahał, jeszcze chciał zostać z ukochaną kobietą i bronić jej przed bestią, ale ona powtórzyła: – Idź stąd! – i pochyliła się nad mężem.

Wiktor rozpłynął się w mroku nocy, jakby nigdy nie istniał.

– No i co ty wyrabiasz? – mówiła z przyganą, podnosząc Jeremiego i otrzepując z liści jego smoking.

– Co się stało? – wymamrotał, rozglądając się dookoła półprzytomnie.

W tym uchwyciła swoją szansę.

– Jesteś pijany. Upadłeś, rąbnąłeś głową w ławkę. Wracajmy do środka. Dasz radę iść?

Uwiesił się na jej ramieniu, by myślała, że jest bardziej spity, niż był. Pamiętał wszystko, ale Weronisia nie musi o tym wiedzieć. Nikt nie będzie kładł łapy na jego, Jeremiego, własności. Niech sobie głupiutka kobieta roi, że tamtemu skurwielowi ujdzie to na sucho. Spojrzał na żonę z czułością. Jego mała, śliczna Weronika... Szarpnął ją do siebie znienacka, chwycił głowę dziewczyny w dłonie i zaczął całować, chciwie, brutalnie. Pozwoliła mu na to.

– Chodź – wydusił. – Już czas.

Pociągnął ją do bocznego wejścia. Schodami na górę. Do wspaniałej sypialni, w złocie i czerwieni. Zatrzasnął za nimi drzwi, przekręcił w zamku klucz i zwrócił się do Weroniki, dysząc ciężko. Cofnęła się aż pod okno, półżywa z przerażenia.

– Nisiaku... kochanie moje...

Ruszył w jej stronę, uśmiechając się czule, ale nie dała się zwieść temu uśmiechowi. Bała się go, a ten strach, strach jego niewinnej, słodkiej żoneczki, łamał Jeremiemu serce.

– Nie bój się mnie, najmilsza. Przecież cię nie skrzywdzę.

Odwrócił ją tyłem do siebie i, drżącymi z niecierpliwości palcami, zaczął rozpinać guziczki gorsetu. Suknia opadła na dywan. Oprócz błękitnych, koronkowych majteczek, Weronika nie miała na sobie nic więcej. Zdarł je jednym ruchem i przez chwilę chłonął obraz nagiej dziewczyny. Była taka piękna… taka krucha i delikatna… filigranowa…

Zaczął zdzierać z siebie kolejne warstwy ubrania. Wreszcie i on stanął przed nią nagi, z dumnie wyprężoną męskością, na widok której Weronice odebrało oddech. Szkarłatne, poorane nabrzmiałymi żyłami prącie było… straszne. „Przecież ono się tam nie zmieści! Nie zmieści!", załkała w duchu.

Wziął ją na ręce, złożył na ogromnym łóżku.

– Nie bój się mnie. Nie będzie bolało. – Ręce trzęsły się mu z podniecenia, gdy rozkładał nogi dziewczyny na boki. Poślinił dłoń, zwilżył niegotową na zbliżenie płeć, a potem wbił się w nią z całej siły.

Weronika krzyknęła z bólu. I zagryzła wargi do krwi.

Pół życia wyobrażała sobie swój pierwszy raz. Pół życia marzyła o tej chwili. W dziewczęcych marzeniach kochała się z Tym Jedynym pięknie, romantycznie, czule i rozkosznie.

W rzeczywistości? To była porażka.

Utrata dziewictwa zdarza się w życiu kobiety tylko raz. Jeśli jest pięknie – boleśnie, ale pięknie – późniejsze przykre doświadczenia nie łamią jej seksualności, odchodzą w niepamięć, właśnie jako nieprzyjemna wpadka, mogło być lepiej…

Jeżeli natomiast nietknięta ręką mężczyzny dziewczyna zostaje potraktowana tak, jak ja w moją noc poślubną, staje się to traumą na całe życie.

Wtedy myślałam, że Jeremi nie chciał mnie skrzywdzić, naprawdę nie! Może go poniosło? Może nigdy z dziewicą nie miał do czynienia? Nie zwierzał mi się ze swoich doświadczeń, a ja po tej pierwszej nocy nie chciałam o nich słyszeć. Jak ja marzył o tej chwili od roku, może dłużej. Pragnął mnie do szaleństwa, przecież wiedziałam o tym. Spotkanie rywala podnieciło go dodatkowo – tak to sobie wtedy tłumaczyłam…

Dziś wiem, że się mścił. Nie mógł na nim – karał mnie.

Szczęście w nieszczęściu, że sam stosunek trwał krótko. Kilka ruchów, z których każdy odczuwałam jak dźgnięcie rozpalonym żelazem, jakiś dziwny dźwięk, który wydarł się z gardła mojego męża, byłam pewna, że dostał zawału i zaraz umrze, potem gorąco tam w środku, Jeremi wysuwa się, wreszcie!, stacza się ze mnie, pada na plecy, rzuca: – Byłaś wspaniała. Kocham cię. – Zakrywa twarz przedramieniem i po chwili dobiega mnie, półprzytomną z bólu i szoku, jego chrapanie. Leżę do rana nieruchomo, wpatrując się szklistym wzrokiem w baldachim nad moją głową i myślę… Myślę, dlaczego, na Boga, nie oddałam się Wiktorowi?

Do dziś jestem pewna, na sto procent pewna, że on przeprowadziłby mnie przez ten pierwszy raz najłagodniej, jak to tylko możliwe. Kochałby mnie tak czule, że ból trwałby krótko i szybko odszedł w zapomnienie.

A doktor Kochanowski? Dlaczego to nie on był moim pierwszym mężczyzną?! Nie wyobrażam sobie, po prostu nie mieści mi się w głowie, by mógł potraktować mnie tak brutalnie, jak Jeremi...

Strasznie mi żal tamtej Weroniki, która leży cicho – niby u boku kochającego męża, ale samotna jak nigdy wcześniej – odrętwiała z bólu. Łzy spływają po jej policzkach, wsiąkając w poduszkę. Nie ma nikogo, kto przytuliłby ją i pocieszył...

Film, którym uraczyły mnie przyjaciółki, wyrządził więcej szkód, niż mogłam się spodziewać. Ze strachu, zamiast się rozluźnić – przecież znałam teorię! – spięłam się do granic wytrzymałości i cóż... to nie mogło skończyć się dobrze.

Konsekwencje będą jeszcze bardziej bolesne.

Znienawidzę seks. Owszem, będę posłusznie wypełniać „obowiązek małżeński", kiedy tylko mój mąż tego zażąda, ale nigdy pierwsza nie wyciągnę do niego ręki. Już nie. Każde zbliżenie będzie nie mniej bolesne, niż to pierwsze. Pieszczoty, które kiedyś dawały mi tyle rozkoszy, teraz będą zapowiedzią bólu. Zacznę się bać także ich.

Na własnej skórze poznam znaczenie słów: „Zaciśnij zęby i módl się za Anglię" i będę się modlić nie tyle za Anglię, a o to, żeby szybciej skończył...

ROZDZIAŁ XXIII
WERONIKA

Romantyczne wyobrażenia o małżeństwie i rozkoszach z nim związanych szybko zmieniły się w mniej romantyczną rzeczywistość. Gdy teraz Weronika czytała w powieściach opisy uniesień, spełnień i nieziemskich orgazmów, unoszenia się do gwiazd, eksplozji, fajerwerków i ekstaz, ogarniał ją pusty śmiech. I refleksja, ile kobiet na całym świecie dało się uwieść tym mrzonkom. Ile z nich – jak ona – znosi małżeńską powinność z zaciśniętymi zębami, bo tak trzeba?

Jeremi starał się, nie mogła zaprzeczyć, by choć trochę było jej dobrze. Próbował wszelkich sposobów i pozycji, żeby tylko nie widzieć po wszystkim łez w jej oczach.

Nauczyła się nie płakać.

Na szczęście po pierwszym zachłyśnięciu się seksem z żoną, jego apetyt malał z miesiąca na miesiąc. Coraz częściej był zbyt zmęczony nauką na trudnym kierunku, praktykami w szpitalu czy po prostu życiem, by wyciągać po Weronikę rękę i szeptać namiętnym tonem: – Pokochamy się?

Wbrew obawom przyjaciół, okazał się dobrym, kochającym mężem, który świata poza swoim Nisiakiem nie widzi. Do domu wracał prosto z zajęć, nie szlajał się po mieście z kumplami, nie popijał, nie imprezował. Wydawało się, że największym szczęściem jest dla niego cichy wieczór we dwoje.

Mogła odetchnąć. Wreszcie dostała od losu to, czego tak bardzo pragnęła: spokój i poczucie bezpieczeństwa. A także – to już nie od losu, a od teściów – niewielki, ohydny dom pod Wrocławiem, z którego cudem i ciężką pracą wyczarowała przytulne, rodzinne gniazdko.

Pani Genowefa i pan Waldemar nadal nie przepadali za synową, wiedziała, że marzyli o lepszej partii dla jedynaka i to małżeństwo uważają za pomyłkę, ale... powiedzmy, że pogodzili się z tym faktem.

Matka Jeremiego starała się być miła czy chociaż mniej złośliwa, szczególnie od dnia, w którym Weronika, ugodzona jej podłą uwagą, rozpłakała się i uciekła z rodzinnego obiadku. Jeremi wpadł w szał, nawymyślał matce i zagroził, że więcej na obiad nie przyjdą. Jego ojciec był Weronice bardziej przychylny, Gienia nieraz przyłapała męża, jak wodzi za młodą kobietą głodnym wzrokiem i... w głębi ducha nienawidziła za to i jego, i jej. Weronika zaś nie miała powodów, najmniejszych, by z własnej, nieprzymuszonej woli odwiedzać teściów. Ćwiczenia na potulność sprawiały w tych okolicznościach niejakie trudności.

Pokochała dni, w które Jeremi miał praktyki w szpitalu. Samotne ranki, gdy mogła leżeć w łóżku bez strachu, że on nagle zapragnie seksu. Popołudnia z książką w niewielkim ogrodzie, pełnym półdzikich kwiatów. Ciche wieczory, w których mogła oddawać się marzeniom. I pisaniu.

A pisała swoje historie w każdej wolnej chwili. Nic nie sprawiało jej większej radości, niż kreowanie własnych światów. Tylko tu mogła bezkarnie kochać tego, o którym nie potrafiła zapomnieć. Czarnooki i czarnowłosy drań gościł na kartach jej powieści tak często, że zaczęła kryć się z pisaniem. Gdyby Jeremi znalazł choć jedną stronę…

Prosiła się o kłopoty.

Mijały dni i miesiące. Studia dobiegały końca. Lada chwila Weronika odbierze dyplom i stanie się pełnoprawnym lekarzem weterynarii. Na parterze domu otworzy lecznicę i wreszcie będzie przyjmować swoich własnych pacjentów. Piękne były te marzenia…

Egzaminy końcowe zdała w przedterminie. Nikt jej za to nie pochwalił, nikt nie był z niej dumny. Jeremi nawet nie zauważył, że żona z dobrym wynikiem ukończyła trudne studia, jej matka… szkoda gadać, ojciec nadal pływał po morzach i oceanach. Jedynym, którego cokolwiek Weronika mogła obchodzić, był Wiktor. I napisała do niego, na ów tajny e-mail, tak jak pisała od czasu do czasu, gdy życie szczególnie dało jej w kość.

Nie odpowiedział nigdy.

Na mail, że ukończyła studia, może on, Wiktor, przyszedłby na rozdanie dyplomów? – także nie.

Na szczęście miała jeszcze jednego przyjaciela i on okazał się niezawodny.

– Panie doktorze! – Weronika zamachała rękami, uradowana na widok wysokiej szczupłej sylwetki dawno niewidzianego mężczyzny.

Wysłała zaproszenie na adres lecznicy, mając nadzieję, że Piotr nadal tam pracuje, ale nie odpisał, nie dał znaku, że otrzymał list, a jednak przyjechał! Był tutaj! Szedł szerokim korytarzem wśród tłumu studentów, ich rodziców i gości, uśmiechając się szeroko do podopiecznej. Podbiegła do niego, rzuciła mu się z piskiem na szyję. Naprawdę uszczęśliwił ją swoim przyjazdem! Piotr przytulił dziewczynę i swoim zwyczajem ucałował ją w czubek głowy, niczym ukochaną córeczkę.

– Nie przedstawisz mnie swojemu... właściwie nie wiem, kto obściskuje moją żonę – dobiegł ich lodowaty głos Jeremiego.

Weronika czym prędzej wysupłała się z objęć lekarza, czując nagłe przerażenie. Jeden jedyny raz widziała w oczach męża to, co w tej chwili – morderczą furię – w dniu ślubu i... ten raz wystarczył.

– To doktor Kochanowski – przedstawiła go czym prędzej. – Mój mentor z dawnych lat. Opowiadałam ci o nim setki razy. Zobacz, przybył na rozdanie dyplomów. Tylko on – mówiła szybko, konstatując z ulgą, że rekinie oczy Jeremiego łagodnieją.

Kochanowski zaś… patrzył to na niego, to na nią, słuchał szybkich, niemal panicznych słów dziewczyny i coś mu się bardzo, ale to bardzo nie podobało. Weronika bała się tego typka – Piotr był tego pewien. Może gdy zostanie z dziewczyną sam na sam, o ile zostanie, porozmawiają o jej małżeństwie i dowie się czegoś więcej? Łajdus ją bił – obrzucił twarz dziewczyny uważnym spojrzeniem, szukając śladów po sińcach – czy tylko znęcał się nad nią psychicznie? Tak, by tych śladów nie było?

Weronika mogłaby mu co nieco opowiedzieć, jak Jeremi potrafił wpaść z byle powodu w szał, rzucać o ściany meblami, miotać na jej głowę obelgi dotąd, aż opadł z sił albo ona cudem go ułagodziła. Najlepiej na kolanach – ten sposób na swego małżonka i szybkie, dla niej bezbolesne zaspokajanie go, odkryła całkiem niedawno. Jednak z doktorem Kochanowskim szczegółami małżeńskiego pożycia się przecież nie podzieli.

Teraz musiała zrobić wszystko, by Jeremi nie znienawidził lekarza i nie mścił się na niej za to jedno, głupie przytulenie… Przylgnęła do męża tak, by poczuł całe jej ciało i wyszeptała mu do ucha, jak chce dziś uczcić w zaciszu sypialni uzyskanie dyplomu.

Natychmiast zapomniał o Kochanowskim.

– Chodźmy do domu teraz. Zaraz. Po co ci ten cały dyplom? Odbierzesz go jutro czy pojutrze… – wysapał, z miejsca podniecony.

Zaśmiała się niepewnie. Chyba nie zmusi jej do opuszczenia tak ważnej uroczystości? Weronika czekała na ten dzień od sześciu lat! A jeśli wziąć pod uwagę jej dziecięce marzenia, to przez całe życie!

– Doktor jechał tu przez pół Polski – zauważyła półgłosem.

– Ach tak, doktor... – znów ten zimny, nienawistny ton. – Z nim też miałaś przyjemność?

– Bredzisz – ucięła. – Przyjemność miałam jedynie z tobą, dobrze o tym wiesz. – „I była ona bardzo wątpliwa", dodała w duchu.

W tym momencie spojrzała na Piotra. Przyglądał się jej i słuchał tych słów z nieodgadnionym wyrazem twarzy, ale w oczach miał smutek. Bezbrzeżny smutek.

Jeremi nie dał im szans na rozmowę. Stanął między doktorem a Weroniką i nie opuścił jej na krok przez całą ceremonię. Po niej również. Kochanowskiemu nie pozostało nic innego, niż się pożegnać, ale przedtem wręczył dziewczynie prezent.

– Co to? – Nieprzytomna z ciekawości chwyciła pięknie zapakowane pudełko i potrząsnęła nim. W środku coś zagrzechotało. Uniosła brwi, jeszcze nie dowierzając.

– Rozpakuj. – Uśmiechnął się.

Rozerwała papier, wyjęła ze środka metalowy pojemnik i krzyknęła z radości.

Piękny, lśniący nowością zestaw chirurgiczny! Coś, o czym marzyła i co...

– Mam dla ciebie taki sam – wycedził Jeremi. – Chciałem wręczyć ci go w domu, ale widzę, że nieco się spóźniłem.

– Drugi też mi się przyda! – zapewniła go pospiesznie.

– Drugi? – Zmierzył doktora wściekłym wzrokiem.

Ten pokręcił tylko głową. Chciał dodać: „Lecz się człowieku"… nie, prawdę mówiąc, miał ochotę chwycić gnoja za klapy marynarki i spuścić mu porządny łomot, ale nie przysłużyłby się tym Weronice. Wprost przeciwnie.

– Będę wracał – odezwał się do niej, ignorując łachudrę, jej męża. – Znasz mój adres, znasz telefon. W razie czego dzwoń.

Skinęła głową, a potem patrzyła, jak odchodzi.

O przytuleniu na do widzenia nie było mowy.

Do domu wracali w milczeniu.

Weronika położyła na kolanach metalowy pojemnik, wyciągała po kolei wszystkie narzędzia i oglądała je błyszczącymi oczami, nie posiadając się ze szczęścia. Były nowiutkie, lśniące, a przede wszystkim kupione z myślą o niej i podarowane ze szczerego serca. Znała nazwę i zastosowanie każdego z nich. Nieraz trzymała je w ręku, asystując przy zabiegach, nieraz była głównym operującym. Dziś miała własny zestaw chirurgiczny, który będzie jej służył przez długie lata. Co za radość!

Samochód zatrzymał się na podjeździe.

Nie przeczuwając niczego złego weszła do domu, odwiesiła płaszcz i… huk zamykanych drzwi sprawił, że odwróciła się gwałtownie. I zbladła. Jeremi szedł w jej stronę siny z wściekłości.

– Drugi? – syknął.

I jak nie strzeli jej w twarz.

Wpadła na ścianę. Narzędzia z brzękiem rozsypały się po korytarzu. Przytknęła dłoń do policzka, zszokowana. Zamachnął się po raz drugi. Padła na kolana, chwyciła skalpel i poderwała się na równe nogi.

– Spróbuj! – krzyknęła, czując w żyłach czystą, morderczą furię, jak on. – Tylko spróbuj jeszcze raz mnie uderzyć! Zarżnę cię, bandyto, rozumiesz?! Jeszcze raz podniesiesz na mnie rękę, kiedykolwiek!, a poderżnę ci gardło! Tylko spróbuj… – Zaczęła drżeć na całym ciele, nadal trzymając nóż w wyciągniętej dłoni.

On stał naprzeciw niej, sapiąc, niczym rozjuszony byk. Rozwierał i zaciskał palce, jakby chciał chwycić kobietę za gardło i zdusić te słowa. Nagle zamrugał. Spojrzał na nią przytomniej. Dostrzegł na jej policzku czerwony ślad po swojej pięści i… rozpłakał się. Upadł na kolana i zaczął szlochać, bełkocąc przeprosiny.

– Nie chciałem, najmilsza… Nie wiem, co we mnie wstąpiło… Przecież wiesz, że cię kocham, uwielbiam… Nigdy, przenigdy nie podniósłbym na ciebie ręki, nie skrzywdziłbym… Wybacz mi, Nisiaku, to się nie powtórzy… Przyrzekam… Tylko mi wybacz. Nie patrz na mnie z taką nienawiścią… Ja już nigdy, kochana moja, już nigdy…

Stała nad nim, oddychając szybko i płytko z szoku, który właśnie ustępował. Umysł miała zupełnie pusty. Policzek zaczął puchnąć. Uniosła dłoń, dotknęła go opuszkami palców i łzy bólu zakręciły jej się w oczach. Jeremi klęczał u jej stóp i błagał o wybaczenie.

Poczuła się bardzo zmęczona...

Tej nocy nie musiała się obawiać jego niechcianych karesów. Po raz pierwszy od dnia ślubu spali oddzielnie. Przeniosła się do pokoiku na poddaszu, jedynego, który w drzwiach miał zamek i nie omieszkała przekręcić klucza.

Usiadła przy biurku, równie niewielkim jak pokój. Tyle razy, patrząc w trójkątne okienko, pisała tutaj powieści i marzyła... Marzyła o kimś innym, niż Jeremi. Policzek rwał trudnym do zniesienia bólem. Do oczu znów nabiegły łzy. Pozwoliła im płynąć. Cicho, bezgłośnie.

Powinna spakować się i odejść.

Tylko dokąd?

Nie miała żadnych oszczędności. Jej mąż zaraz po ślubie uznał, że nie potrzebują dwóch kont i wszystkie pieniądze, także te, które wysyłał ojciec Weroniki, wpływały na konto Jeremiego. To, co miała w portfelu, wystarczyłoby na podróż do Warszawy. A tam? Wróci na Powiśle? Do matki, która przygruchała sobie nowego gacha? Tak samo obleśnego, o równie lepkich łapach – co Weronika mogła naocznie stwierdzić w ostatnie święta – jak poprzedni? Miała zamieszkać z nimi?

A może w lecznicy? Stanie, jak gdyby nigdy nic, w drzwiach gabinetu i oświadczy: „Panie doktorze, wróciłam, może mnie pan teraz brać do woli, w zamian za dach nad głową i skromne kieszonkowe".

Cichy głos podpowiadał, że Piotr – nie pytając o nic – poprowadziłby ją do kanciapki, nakazał się rozgościć, poczęstowałby herbatą i wysłuchał jej albo pomilczałby z nią, nie żądając niczego w zamian. Ciche łzy płynęły po policzkach dziewczyny.

Wiedziała, że zostanie tutaj, w tym domu, z człowiekiem, którego nie kocha. Który dwie godziny temu uderzył ją z całej siły w twarz.

Dlaczego nie mogła odejść? Bo od tygodnia nosiła w sercu tajemnicę. A pod sercem nowe życie…

ROZDZIAŁ XXIV
JEREMI

Opłacało się! Naprawdę się opłacało! I nie mówię tu o lecznicy, którą za chwilę otworzę na parterze domu, a o uderzeniu w twarz, które zafundował mi tamtego wieczoru mój uroczy małżonek. Brzmi szokująco? Cóż…

Przez ładnych parę tygodni Jeremi skakał dookoła mnie niczym piesek na tylnych łapkach, zaglądając błagalnie w oczy i odgadując każde życzenie, każdą myśl. Zdawał się przerażony faktem, że podniósł na mnie rękę i to właściwie bez powodu. Tłumaczył, że zaślepiła go zazdrość. „Przecież wiesz, jak cię kocham. Nie zniósłbym myśli, że ktokolwiek…", i tak dalej w ten deseń.

Jednak nie to sprawiło, że przez dwa miesiące od tamtego wydarzenia, powtarzałam sobie w duchu: „Opłaciło się!". Jeremi nie śmiał żądać ode mnie seksu. Jak przeniosłam się na poddasze, tak tam zostałam. Spotykaliśmy się w kuchni na wspólnych posiłkach, o ile on był w domu, spożywaliśmy je w uprzejmej ciszy, czasem konwersując o pogodzie, potem on jechał do szpitala, ja przygotowywałam się do otwarcia lecznicy. Wieczorem zamykałam się w moim pokoiku i pisałam powieści. Takie życie naprawdę nie było złe!

Jedynym, co spędzało mi sen z powiek, było nowe istnienie, które Jeremi we mnie posiał. Zwlekałam z poinformowaniem go o ciąży. Bynajmniej nie dlatego, że nie chciałam tego dziecka. Pragnęłam go, jak niczego na świecie. Gdy ujrzałam na teście dwie kreski, popłakałam się ze szczęścia. Byłam jednak pewna, że nie chce go on. Przyszły tatuś.

Kiedyś, niby miało być to w żartach, wymknęło mu się, że nie zniósłby żadnej konkurencji do mojego serca, nawet własnego dziecka. Wtedy popukałam się w głowę, rzuciłam: „Naprawdę przesadzasz", jednak wszystko wskazywało na to, że mówił serio. I nie chodziło tu o chorą miłość i równie niezdrową nienawiść, bo z czasem nabrałam wątpliwości, czy Jeremi naprawdę mnie kocha. Nie. On był chorobliwie ambitny. Myśl, że mógłby z kimś przegrać, odbierała mu rozum. Świadomość, że taki Wiktor, doktor Kochanowski, Marcin, Ziutek, Filut, czy ktokolwiek inny, mógłby sprzątnąć mnie jemu, samcowi alfa, sprzed nosa, doprowadzała go do szału.

Dziecko spokojnie mógł uznać za konkurencję i tego się obawiałam.

Niech na razie maleństwo, a właściwie moja maleńka dziewczynka, rośnie bezpieczna i kochana. Ukrywamy się na poddaszu, przez nikogo nie niepokojone. Ten błogi spokój wkrótce pryśnie, ale na razie moja mała tajemnica jest głęboko ukryta.

Wiem o niej tylko ja.

I jeszcze ktoś, kto nie odpisuje na maile…

Od pierwszego dnia, gdy tylko otworzyła drzwi skromnego gabinetu, miała pacjentów. W miejscowości, gdzie mieszkali, przyjmował wprawdzie weterynarz, lecz albo chodził pijany, strach więc było powierzyć mu ukochanego zwierzaka albo leczył za pomocą strzykawki i Morbitalu*, więc tym bardziej było strach.

Młoda, sympatyczna, trzeźwa i kompetentna pani doktor spadła właścicielom okolicznych psów i kotów jak z nieba.

Kochała swój zawód, kochała pacjentów, gabinet, będący kopią gabinetu doktora Kochanowskiego, również. To miejsce przywodziło na myśl najpiękniejsze wspomnienia, bo z czasów na Czeremchowej chciała pamiętać tylko te jasne chwile.

Codziennie zbiegała na parter, pucowała korytarz, poczekalnię i gabinet na błysk, przeglądała leki, przez telefon składała w hurtowni zamówienie, a potem do wieczora przyjmowała wszystkie stworzenia duże i małe. Od potężnego doga z atopowym zapaleniem skóry, po maleńką myszkę-japonkę z wrzodem na łapce. Uwielbiała to.

---

* Środek do eutanazji.

Jeremi pojawiał się i znikał, całował ją na dzień dobry w policzek, a na dobranoc w czubek głowy. Pytał, jak się ma, ilu przyjęła pacjentów i – zazdrosny również o to, że jest szczęśliwa – umykał do sypialni. Weronika, nie zastanawiając się, jak długo sielanka potrwa, po prostu cieszyła się chwilą.

Gdy maleństwo miało trzy miesiące i ciąża powoli zaczynała być widoczna, nadszedł czas próby...

Jeremi wrócił zmordowany ze szpitala. W kuchni paliło się światło. Pewnie jego żona szykowała dla siebie kolację. Od feralnego wieczoru, gdy – niech to szlag! – nieco go poniosło, żyli niby razem, lecz jednak osobno. Poza domem stwarzali pozory szczęśliwego, udanego małżeństwa. Za zamkniętymi drzwiami byli dwojgiem obcych sobie ludzi. Dziś postanowił to zmienić, bo już matka zaczęła się podejrzliwie dopytywać, czy na pewno wszystko między nimi gra.

Wiedział, jak przebłagać Weronikę, znał ją przecież lepiej, niż ona sama siebie znała. Po drodze ze szpitala kupił przepiękne, bordowe róże i pudełko ptasiego mleczka – to zawsze ją rozczulało. Miał jednak dla niej coś więcej. Zamówił to coś następnego dnia po przykrym incydencie, ale gniew Nisiaka był zbyt świeży, a siniec zdobiący jej policzek zbyt widoczny, by była szansa na załagodzenie sytuacji. Jeremi czekał cierpliwie, pozwolił jej spać na poddaszu, schodził z drogi, przepraszał co jakiś czas, a przede wszystkim… nie dotykał jej.

Zdawał sobie sprawę, że Weronika nie lubi seksu, chociaż nie rozumiał, dlaczego. Przecież umiał ją zaspokoić. Nieraz powtarzała, że potrafi na niej grać niczym wirtuoz. Po ślubie ochota na miłosne igraszki wyraźnie Weronice minęła, ale próbowała… naprawdę się starała… Gdy pomyślał, co najlepiej żonie wychodziło i w jakiej pozycji, bolesny skurcz dźgnął go w podbrzusze. Pragnął jej ciała i doprawdy najwyższy czas, by skończyła z tymi dąsami. Przecież obiecał, że nigdy więcej nie podniesie na nią ręki i dotrzymywał słowa. O co jej więc chodziło?

Wszedł do kuchni. Posłała mu obojętny uśmiech.

Wyciągnął zza pleców bukiet róż. Uśmiech stał się odrobinę cieplejszy.

– Cóż to za okazja? – zapytała.

– Musi być powód, bym przyniósł kwiaty ukochanej żonie? – wymruczał, próbując pocałować ją w usta, ale odwróciła twarz. Pocałunek trafił w powietrze.

Odłożył kwiaty na stół.

– Pięć lat temu ujrzałem cię po raz pierwszy. I od pierwszego wejrzenia pokochałem całym sercem – w jego głosie zabrzmiała tęsknota i smutek.

Weronika mimowolnie poczuła to samo. Przecież nie były to złe lata. Jeremi starał się ze wszystkich sił, żeby była szczęśliwa. Tak usilnie o nią zabiegał, walczył o małżeństwo z ojcem i matką, nie pozwalał im złego słowa o narzeczonej, potem żonie powiedzieć. Był wiernym, kochającym mężem, czyż nie powinna dać mu drugiej szansy?

Ujrzał to w jej oczach.

Objął ją łagodnie.

Zesztywniała.

– Dziś będę pieścił tylko ciebie – wyszeptał, całując wnętrze jej dłoni. – Pozwól. Jak kiedyś. Tylko ciebie...

Powoli, pod dotykiem jego rąk i ust, rozluźniała mięśnie, napięte w oczekiwaniu bólu. Bezbłędnie trafiał w najczulsze punkty i głaskał, całował, ssał, przygryzał, tak jak lubiła dotąd, aż zaczęła prosić o więcej. Czując dziką satysfakcję, wziął ją na ręce i zaniósł na kanapę w salonie. Gdy składał ją na miękkich poduszkach, znów ujrzał panikę w źrenicach kobiety i ponownie zaczął oswajać ją dotykiem rąk i warg, aż zatraciła się w narastającej rozkoszy. Zacisnęła powieki i wygięła w łuk, nasuwając się coraz głębiej i szybciej na jego palce. Nie mogła widzieć, że on drugą ręką rozpina suwak rozporka i ściąga spodnie. Gdy zamiast palców wbił w nią prącie, krzyknęła cicho, zaskoczona, i znieruchomiała.

– Ciiicho, najmilsza moja, cichutko, pozwól mi na to, pozwól... – szeptał, wysuwając się z niej odrobinę i wsuwając z powrotem.

Wreszcie... rozluźniła się. Była tak wilgotna, że nie czuła bólu. Wykorzystał to, doszedł w kilku mocnych pchnięciach, eksplodował w jej wnętrzu i wreszcie opadł na nią, syty i ociężały, szepcząc, jak bardzo ją kocha.

– Jesteś moim skarbem, umarłbym, gdybyś odeszła, po prostu bym tego nie zniósł…

Słuchała tych zaklęć i była szczęśliwa, że tym razem nie bolało. Może naprawdę jest przed nimi jakaś przyszłość? Może nowe życie, które w niej rośnie, ma szansę na prawdziwy dom?

Jeremi poruszył się w niej, zaglądając w oczy Weroniki pełnym miłości spojrzeniem. Uśmiechnęła się przez łzy. Wsunął w nią dwa palce i, nadal będąc w środku, pieścił dotąd, aż i ona osiągnęła spełnienie.

Był zadowolony.

– Jestem w ciąży. – Jej ciche słowa sprawiły, że otworzył szeroko oczy.

Tej nocy wróciła do małżeńskiej sypialni.

Właśnie zasypiał, przytulony do żony od tyłu, gdy powiedziała trzy słowa, które obudziły go gwałtownie.

Odwróciła się tak, żeby widzieć jego twarz.

– To stało się niedługo przed rozdaniem dyplomów – dodała, patrząc w szeroko otwarte źrenice męża i próbując z nich wyczytać, czy jest szczęśliwy, czy wręcz przeciwnie.

Błysnęły lodowato, gdy rzucił:

– To moje dziecko?

– Oczywiście! Jak… jak w ogóle śmiesz w to wątpić! – Uniosła się gniewem.

– Przepraszam, Nisiaku. – Natychmiast uciszył ją pocałunkiem. – Wiesz, jaki jestem… Masz pewność? Sprawdziłaś to?

Cóż… nie takiej reakcji pragnęła, ale przynajmniej nie dał popisu zazdrości.

– Widziałam na USG bijące serduszko – powiedziała to tak miękko, z taką czułością, że Jeremi poczuł fizyczny wręcz ból

Nie mógł jednak po sobie pokazać, jak bardzo go rani. Bądź co bądź, nosiła jego dziecko.

– Co za wiadomość – odezwał się, bo czekała na jego słowa. – Wybacz, najmilsza, że się nie cieszę, ale jestem w szoku. Chyba każdy, kto po raz pierwszy zostaje ojcem, czuje to samo.

„Wiktor oszalałby ze szczęścia", przemknęła Weronice przez umysł zdradliwa myśl.

– Naprawdę zostaniemy rodzicami? – Zapytał z niedowierzaniem, jakby dopiero teraz dotarły do niego te słowa.

Przytaknęła.

Zamknął ją w ramionach i zaczął całować.

Zanim padł, wyczerpany do cna, zdążył ją raz jeszcze doprowadzić do orgazmu. Słuchał jej cichych pojękiwań, patrzył, jak drżą zaciśnięte powieki i miał pewność, że Weronika wróciła do niego, zaś ciąża zwiąże ją z Jeremim jeszcze mocniej. Mógł spać spokojnie.

*

Były to najpiękniejsze miesiące w całym ich małżeństwie. Weronika rozkwitła, wreszcie spokojna, że dziecko będzie miało dwoje kochających rodziców. Płonęła takim wewnętrznym blaskiem, że nikt nie miał wątpliwości: oto najszczęśliwsza na świecie przyszła mama.

Zamiast przytyć, zeszczuplała od porannych nudności, brzuch miała ledwo zaokrąglony, ale płód rozwijał się prawidłowo, nie było powodów do niepokoju. Jeremi zaś nosił ją – czasem dosłownie – na rękach. Był czuły, kochający i uważny na wszelkie jej potrzeby. Gotów jechać do Wrocławia po ulubione owoce czy czekoladę o każdej porze dnia i nocy, odgadywał jej zachcianki, zanim ona sama pomyślała, czego chce.

Sąsiadki zazdrościły jej takiego męża. Zakochany w żonie do nieprzytomności, niebrzydki, kulturalny, do tego lekarz, ależ szczęściara z tej doktorowej! Tak. Uważała się za szczęściarę. Wszystko, co złe, odeszło w niepamięć. Teraz liczyła się tylko rodzina. I dobro dziecka.

Małe istnienie rosło w brzuchu mamy, już dziś przez nią uwielbiane. Dziadkowie, Gienia i Waldek, dopiero teraz w pełni zaakceptowali synową i również zaczęli rozpieszczać ją domowym jedzeniem, smakołykami, gosposią, którą opłacali, by pomagała prowadzić dom, wreszcie, bardzo nieśmiało, ciuszkami, jakie zaczęli kupować dla wnuka. To, że urodzi się chłopczyk, nie ulegało wątpliwości. Tylko Weronika była pewna, że nosi pod sercem maleńką dziewczynkę, córeczkę, którą będzie kochać, jak nic i nikogo na całym świecie.

Spokojnie i bez żadnych niespodzianek mijał czwarty miesiąc ciąży.

Grom, jak to grom, spadł z jasnego nieba.

A że nieszczęścia chodzą parami, zaraz potem uderzył drugi.

Było ciepłe, jesienne popołudnie.

Weronika szykowała się do wyjazdu na seminarium. „Terapia zwierząt egzotycznych", to właśnie była jej wielka pasja. W tym pragnęła się specjalizować. Od początku studiów gromadziła materiały, szukała podręczników, polowała na każdą publikację, która mogła przybliżyć jej temat leczenia mieszkańców zoo.

Wyjeżdżała na dwa dni, spakowana w niewielką torbę podróżną.

– Tylko uważaj na siebie i naszego syna – pożegnał ją Jeremi, kładąc czule dłoń na coraz krąglejszym brzuchu.

Nudności wreszcie ustały, Weronika zaczęła nabierać ciała. Wyglądała ślicznie w aureoli przyszłej matki. Sukienka, czerwona w granatowe i białe paski, również dodawała młodej kobiecie uroku.

Sprawdziła raz jeszcze, czy zabrała portfel, telefon, ładowarkę i klucze. Wszystko było na miejscu.

– Gdzie się zatrzymasz? – Jeremi zapytał po raz setny, by po raz setny usłyszeć uspokajającą odpowiedź:

– W hostelu na Starówce. I nie, od razu odpowiem na następne pytanie: nie zamierzam spotkać się z doktorem Kochanowskim. Będę zbyt zmęczona podróżą i seminarium. On nawet nie wie, że przyjeżdżam.

Pożegnał ją namiętnym pocałunkiem i odprowadził do drzwi. Jakoś nie przyszło mu do głowy, żeby podwieźć ciężarną żonę jeśli nie do samego Wrocławia, to chociaż na przystanek autobusowy. Mniejsza z tym, Weronika nie miała nic przeciwko spacerom. Pekaes odjeżdżał za czterdzieści minut. Miała czas.

Czy jednak jej coś się z godzinami pomyliło, czy kierowcy się spieszyło, nie wiadomo. Wyszła zza węgła kamieniczki po to tylko, by zobaczyć tył odjeżdżającego pekaesu. Stanęła jak wryta. Za dwie godziny miała pociąg do Warszawy. Nie może się spóźnić!

Odwróciła się na pięcie i szybkim krokiem ruszyła do domu. Teraz Jeremi będzie musiał ją podwieźć.

Pół godziny później wbiegała na podwórko, zmęczona od upału i zdenerwowania. Mijając okno lecznicy, zwolniła kroku. Przez białą roletę niewiele było widać, ale w środku najwyraźniej ktoś był!

W jej gabinecie?

Poczuła ukłucie strachu.

Złodziej?

Powoli nacisnęła klamkę i weszła do poczekalni. Zatrzymała się nasłuchując i... nagle wszystko zrozumiała. Pchnęła drzwi do gabinetu.

Na stole zabiegowym półleżała Jolka, nastoletnia sprzątaczka, od tyłu ujeżdżał ją Jeremi, chrząkając jak obłąkany wieprz.

Nogi się pod Weroniką ugięły. Żółć napłynęła jej do gardła. Jęknęła z niedowierzaniem.

Mężczyzna spojrzał przez ramię i znieruchomiał. Dziewczyna pod nim zachichotała. Weronika odwróciła się i pobiegła na górę, potykając się na schodach. Zatrzasnęła drzwi swojego pokoiku, przekręciła klucz, opadła na krzesło przy biurku i… co teraz?

Obraz białego, owłosionego tyłka, podrygującego w rytm uderzeń, nie chciał zniknąć spod zaciśniętych powiek. To ohydne chrząkanie wciąż rozbrzmiewało jej w uszach.

„Jesteś moją jedyną miłością, moją księżniczką, żadna inna, tylko ty”, słowa-kłamstwa, jedno w drugie. Załkała. Oparła głowę na splecionych ramionach i zaczęła szlochać z rozpaczy i odrazy. Oddała mu się nie dawniej jak wczoraj, wiedząc, jak on potrzebuje seksu i jej, Weroniki. Zniosła ból, udała spełnienie, zasnął w jej ramionach taki szczęśliwy… kochający… „Moja jedyna, najmilsza, nie zniósłbym, gdyby ktoś mi cię odebrał”, a dziś ujeżdża sprzątaczkę! Niedomytego kocmołucha, który do dwóch zliczyć nie potrafi!

Ile razy przesiadał się z tej dziewuchy na nią, Weronikę? Ile razy miał jedną po drugiej? Zerwała się i podbiegła do kosza na śmieci. Wymiotowała tak długo, że niemal straciła przytomność.

Osłabła od łez i bólu wgryzającego się w serce, dowlokła się do łóżka.

„Wybrałam jego! Zamiast Wiktora wybrałam jego!!!”.

– Weronika, otwórz. – Usłyszała słowa obmierzłego zdrajcy po drugiej stronie drzwi. Szarpnął za klamkę.

– Wynoś się – wyszeptała. – Po prostu się wynoś.

– Wszystko wytłumaczę.

„Spieprzaj, łajdusie! Ona i ja, dzień po dniu… Och…”.

– Od jak dawna z nią to robisz?! – krzyknęła przez łzy. – Od jak dawna ją rżniesz, skurwielu?!

– To był pierwszy raz, przysięgam! Ona… ona mnie uwiodła, po prostu… nie mogłem się oprzeć. Nisiaku, jedyna moja…

Trzask!

Ktoś po drugiej stronie drzwi oberwał właśnie po mordzie.

– Pierwszy raz?! – Rozległ się wściekły wrzask dziewuchy. – Daję ci od roku, a ty pierwszy raz?!

Weronika oniemiała.

– Zrobiłeś bękarta mojej siostrze, a teraz pierwszy raz?! Ty skurwysynuuuu!

Na korytarzu zakotłowało się. Jedno próbowało dostać się do pokoju, drugie szarpało je w tył. Weronika trwała w stuporze. Wykrzyczane przed chwilą słowa torowały sobie drogę do zszokowanego umysłu. „Zrobiłeś bękarta mojej siostrze”?

Wstała, podeszła do drzwi, przekręciła klucz i otworzyła je na całą szerokość.

– Powtórz to, co powiedziałaś – odezwała się nieswoim głosem do kocmołucha. – To o bękarcie.

Tamta zachichotała jak wiedźma.

– Wszyscy o tym wiedzą! Cała wieś! Tylko nie pani doktorowa! – Znów ten wiedźmi rechot. – Doktorek jest tak jurny, że ciągle mu mało. Zrobił dzieciaka mojej siostrze. Szymek ma pół roku, słodziak, a jaki do doktorka podobny! Doktorek przynosi pieniądze na dziecko, spróbowałby nie, ale Aga więcej nie chce łajdusa znać. A że jurny ten nasz doktorek i bogaty, prezenty daje… – Mrugnęła okiem. Uśmiechnęła się wulgarnie.

„Nie wierzę. To nie dzieje się naprawdę. Ja tego nie słyszałam…", Weronika poczuła, że znów robi się jej słabo.

Z dołu dobiegły ją krzyki. Dziewucha odwróciła się i nasłuchiwała przez chwilę.

– O kurwa. Stara idzie.

Ruszyła po schodach na dół i zniknęła po chwili.

Weronika została sama. Pchnęła drzwi. Zamknęły się z głuchym trzaskiem. Osunęła się plecami po chropawym drewnie, czując, że za chwilę zemdleje.

I w tym momencie…

…Jeremi z całej siły kopie w drzwi z drugiej strony, nie wiedząc, że są otwarte, a za nimi stoi Weronika. Ona, pchnięta ciężkimi odrzwiami w plecy, leci do przodu. Wpada na ramę łóżka. Przenikliwy ból oślepia ją na moment. Trwa nieruchomo, łapiąc chciwie powietrze. Drugi spazm zwija ją wpół. Chce krzyczeć, ale nie może wydobyć głosu, za to krzyczy kto inny. Kolejne dźgnięcie w dół brzucha pozbawia ją oddechu. Wydusza z krtani jęk. Weronika czuje nagle ciepłą, lepką wilgoć, płynącą po nogach. Dotyka uda, podnosi dłoń do oczu i zaczyna krzyczeć. Palce są czerwone od krwi.

Maleńka dziewczynka, wielkości matczynej dłoni, którą Weronika miała tak kochać... tak bardzo kochać... umiera z każdym uderzeniem serca, oszalałego ze strachu o dziecko.

– Kruszynko, moja mała kruszynko, proszę – wyszepce, zanim następny spazm ciśnie ją w czerń. Ta litościwie zamyka się nad nią. Jej własny jęk zamiera. I wszystko gaśnie.

ROZDZIAŁ XXV
WERONIKA

Wieczorem, gdy wróciła po zabiegu ze szpitala, powlokła się na górę do swojego pokoju, zwinęła w pełen bólu kłębek i trwała tak do rana. Na zewnątrz obojętna, nieporuszona, w środku oszalała z rozpaczy i bólu.

Dzień nie przyniósł pocieszenia.

Przybiegli teściowie. Weronika słuchała krzyków, dobiegających z piętra i jękliwego głosu Jeremiego. Na schodach rozległy się kroki. Genowefa weszła do pokoju bez pukania, stanęła nad synową i, biorąc się pod boki, wypaliła:

– Coś ty narobiła?!

Weronika zacisnęła powieki. Koszmar trwał. Nie mogła się z niego wyrwać.

„Zasnąć, błagam! Zasnąć i obudzić się w innym świecie!". Trwała w cierpieniu długie godziny…

Zasnąć!

Podniosła się. Na sobie miała wczorajsze ciuchy. Nikt nie zadbał, by osłabłą po krwotoku przebrać w czyste. Zeszła do lecznicy, wbijając zdziwiony wzrok w stół zabiegowy – naprawdę tak się przejęła kopulacją Jeremiego z tamtą gówniarą, że straciła dziecko? Gdyby wiedziała, czym to się skończy, chybaby im jeszcze błogosławiła! Niech się pieprzą do upojenia, byle ona miała swą maleńką dziewczynkę!

Po policzkach spłynęły łzy.

Podeszła do biurka, wyjęła receptariusz, wypisała dwa opakowania leku, który pomoże na każdy ból, po czym ruszyła do apteki.

Farmaceuta spojrzał na nią podejrzliwie, gdy podała mu drżącą ręką receptę z silnym środkiem nasennym, ale nie mógł odmówić realizacji. Zresztą… nie chciało mu się. Weronika była lekarzem, wiedziała, co robi.

Wracając do domu, kupiła butelkę wódki. Ona też dobrze działa na sen.

Zamknęła się w swoim pokoiku, usiadła na łóżku i po chwili miała pełną garść niewielkich, żółtych tabletek. Zasnąć, na miłość boską!

Łyknęła wszystkie na raz, popiła wódką, krztusząc się i dławiąc. Wreszcie, zupełnie bez sił, opadła na plecy i zapatrzyła się w biały sufit. Alkohol powoli wnikał do żył, rozlewał się po całym ciele, przynosząc ukojenie, tabletki zaczynały działać, za chwilę Weronika odpłynie… Ale jeszcze… Jeszcze jedno…

Wstała z trudem. Włączyła komputer i półprzytomna wpisała adres. Tajny adres, z którego wysyłała listy na tajny e-mail. W skrzynce nadawczej były ich dziesiątki. Od dnia ślubu tyle się ich nazbierało. Skrzynka odbiorcza była pusta. Ten, do którego pisała pełne miłości słowa, nie odpowiedział nigdy.

Znów łzy nabiegły jej do oczu. Alkohol i tabletki też nie ułatwiały zadania. Mdlejącymi palcami napisała: „Kochany mój, straciłam moją córeczkę". Zamknęła program, wyłączyła komputer i wróciła na łóżko. Na cichych, łagodnych skrzydłach nadleciał sen.

I skończył się następnego dnia.

Jeżeli Weronika miała nadzieję na przebudzenie w świecie bez bólu, straciła ją wraz z otwarciem oczu. Leżała na OIOM-ie. Aparatura, do której była podłączona, pikała miarowo. Zza szyby, oddzielającej salę od dyżurki, dochodziły kobietę przyciszone głosy. To lekarz, jej mąż i teść naradzali się, co z nią zrobić. Ten pierwszy nalegał na szpital psychiatryczny, bądź co bądź pacjentka podjęła próbę samobójczą. Tamci dwaj nie chcieli o tym słyszeć. Wariatka? W ich rodzinie wariatka?! Nie ma mowy! Już oni dopilnują, by Weronika wyszła z tego przygnębienia, żaden szpital nie jest potrzebny!

Cóż mógł rzec. Wypisał Weronikę nie tyle na jej żądanie, chociaż to ona podpisała się na karcie, co na żądanie małżonka.

Jeremi zawiózł ją do domu i jeszcze w samochodzie zaczął ją dręczyć, a to potrafił, jak mało kto. Znał wszystkie czułe punkty Weroniki, wiedział, gdzie trafić, by zabolało najbardziej.

– I całe szczęście, że poroniłaś – takie to pełne „miłości" słowa sączył Weronice do ucha, dzień w dzień, od chwili gdy wyszła ze szpitala, jej kochający mąż. – Każda z nich – tu miał na myśli dwie kochanki, te o których ona wiedziała, prostytutek i tirówek nie licząc – każda z nich byłaby lepszą matką od ciebie.

Weronice pękało serce. Nie miała już łez, żeby opłakać maleńką dziewczynkę.

– Każda z nich – to znów o dwóch kocmołuchach, które ledwo skończyły podstawówkę i były tak wulgarne, że ludzie ze wsi mówili o nich „kurwopyski" – każda z nich byłaby lepszą żoną od ciebie.

Tutaj nie miała wątpliwości. Ich Jeremi w noc poślubną nie zgwałcił. Mogły lubić i jego „dumę", i to ohydne chrząkanie.

– Jesteś tak złym człowiekiem – mówił kobiecie, która pięć dni temu próbowała się zabić – że nikt nie chce się z tobą przyjaźnić.

„Nie chce, od kiedy ty mnie osaczyłeś!", łkała w duchu. „Byłam lubiana, byłam kochana, do czasu, gdy przeklęty los postawił przede mną ciebie!".

– Jesteś tak złą córką, że twój ojciec i matka nie chcą cię znać. Nawet na ślub ich nie zaprosiłaś.

„Przestań, błagam…".

– I tak złym lekarzem, że wolą chodzić do Dudka – mówił o wiecznie schlanym konowale – niż do ciebie.

Fakt. Od kiedy ujrzała swojego męża i sprzątaczkę, kopulujących na stole zabiegowym, nie była w stanie przyjmować pacjentów.

Jeremi zabijał ją każdym słowem. Skreślał ją jako matkę, żonę, człowieka, lekarza...

Gdy w dniu ich ślubu Wiktor powiedział o nim: „Psychopata. Uważaj na niego", nie uwierzyła. Uznała to za zazdrość. Dziś pokornie prosiłaby o wybaczenie. Jej mąż potrafił znęcać się nad ofiarą, oj tak. Szczególnie nad bezbronną kobietą, która z gorączką leżała w łóżku piąty dzień od poronienia. Mógł wrażać jej w poranione serce słowa pełne nienawiści i robił to z premedytacją. I taką radością, że aż bolało. Mścił się za każde jej „nie dzisiaj, proszę". Mścił za „drugi?". I za Wiktora, którego sam nie mógł dorwać, a z którym ona zdradzała go od dnia ślubu albo i wcześniej.

Pięć dni temu Weronika, ta głupia cipa, nakryła go na... przecież nie zdradzie! Facet nie zdradza, on się tylko zapomina, „nieco go poniosło" albo „musi się wyszaleć". Narobiła rabanu na całą wieś. To, co było tajemnicą poliszynela – doktorek rżnie wszystko, co na drzewo nie ucieka, a jak ucieka, to goni dotąd, aż zacheta na śmierć – nagle wyszło na jaw. I jego kochanki, i nieślubne dziecko... Gorliwi katolicy nie mogli już udawać, że nie widzą. Musieli rzucić kamieniem. Doktorek znalazł się na cenzurowanym tylko dlatego, że robił to koło domu, mógł się lepiej kryć, Agnisia z Jolką zostały potępione, bo kurwiły się niczym pierwsze lepsze, a mały, niczemu niewinny Szymek, został okrzyknięty bękartem doktorka. Gdyby głupia cipa Weronika uprała brudy w domu, nie byłoby sprawy. Ale nie, ona musiała poronić, a potem łyknąć opakowanie tabletek nasennych! Jeśli próbowała tym zwrócić na siebie uwagę, osiągnęła pełen sukces. Była na językach wszystkich.

Teściówka, pani doktorowa Genowefa Wiśniowska, tłumaczyła na prawo i lewo, że synowa cierpi na bezsenność. Dobre sobie. Na bezsenność łyka się lufę albo dwie, a nie dwadzieścia tabletek szczęścia. Zawieźli psycholkę – żonę doktorka, bo przecież nie mamcię – do szpitala, odtruli i wróciła jak gdyby nigdy nic do domu. Od tej pory nikt jej na oczy nie widział. Doktorka też nie. A dwie laski ze złamaną karierą i Bogu ducha winny dzieciak jakoś żyć muszą! Skazani na sąsiedzki ostracyzm, na obmowę i sprośne dowcipy, muszą chodzić do sklepu, na przystanek pekaes, widywać listonosza, łykać wstyd, który zafundowała im ta głupia cipa, żona doktorka.

Nikt, jak wieś długa i szeroka, nie obwiniał Jeremiego. Wszystkiemu winne były kobiety. On także w to wierzył i sączył do ucha żonie, która go skompromitowała, pełne nienawiści słowa.

Normalny człowiek, gdy kogoś chcący czy niechcący skrzywdzi, prosi o wybaczenie – to przede wszystkim – a potem, pełen nieznośnego poczucia winy, stara się zadośćuczynić, naprawić swój błąd, zrobić wszystko, by ta, którą skrzywdził, mu wybaczyła. Proste to i zrozumiałe. Psychopata natomiast całą winę przerzuca na swoją ofiarę. „Gdyby ona tego nie zrobiła, on by nie...", „gdyby ona tego nie powiedziała, on by nie...", „gdyby ona chciała/nie chciała/była/nie była, on by nie...". Każdy, dosłownie każdy pretekst jest dobry, żeby o swoje błędy i przewinienia oskarżać wszystkich, tylko nie siebie.

Gdy już psychopata przerzuci na ofiarę cały ciężar winy, zaczyna jej nienawidzić. Zimną, dziką nienawiścią. Teraz musi tę nienawiść wytłumaczyć przed samym sobą. I oto powód ma pod ręką: to przecież wszystko przez nią! To ona, Weronika, zniszczyła ich małżeństwo, nakrywając go na zdradzie! Absurdalne? Nie dla psychopaty.

Nie mógł uderzyć kobiety fizycznie, miał w pamięci jej występ ze skalpelem, zabijał ją więc słowem. Było równie skuteczne. Kto normalny mówi młodej matce, która pięć dni wcześniej straciła upragnione maleństwo: „Całe szczęście, że poroniłaś. Każda z nich byłaby lepszą matką, niż ty", no kto?

Ile takich razów wytrzyma pogrążona w rozpaczy kobieta, by spróbować ponownie?

Znów do niej szedł. Człapał po schodach, pewnie pijany.

Naciągnęła koc na głowę, zamykając oczy.

Wszedł do środka, usiadł ciężko na łóżku i wypalił:

– To było jego dziecko. Jego bękart.

Weronika wcisnęła między zęby dłoń i przygryzła, żeby nie krzyczeć.

– Wpadłaś ze swoim kochasiem, bandytą, a mi wmawiałaś, że to moje. Na szczęście poroniłaś. Bo co z ciebie byłaby za matka? Taka jak żona albo jak kochanka... Do dupy. Hahaha, kochanka? Leżałaś jak drewniany kloc! Musiałem zaciskać zęby, żeby w ogóle się do ciebie zbliżyć! Patrz, jesteś lekarzem, niby takim wspaniałym, a nawet zabić się nie potrafisz. – Pokręcił głową. – Nawet zdechnąć raz na zawsze nie umiesz... Też sobie wybrał obiekt westchnień pierdolony Wiktorek...

Odrzuciła koc i wstała.

Jak marionetka, która zerwała się ze sznurków lalkarza.

Podeszła do komputera, włączyła go, wystukała adres i weszła do swojej skrzynki pocztowej. Otworzyła folder „wysłane" i odsunęła się, żeby ten bydlak i psychopata, Jeremi, miał wszystko czarno na białym. Zaprosiła go do lektury skinieniem ręki.

Przez chwilę patrzył na nią, nic nie rozumiejąc, potem pochylił się nad komputerem i zaczął czytać...

„Kochany mój, wczoraj w nocy zrobił to pierwszy raz, bolało... Strasznie bolało... Gdy wyobraziłam sobie, jak pięknie mogło być z Tobą...".

„Kochany mój, oddałabym pół życia, by cofnąć czas. Wrócić do chwil, gdy byliśmy razem i zacząć wszystko od nowa...".

„Kochany mój, on może mieć moje ciało i plugawić je na wszelkie możliwe sposoby, ale to Ty, tylko Ty, na zawsze Ty będziesz miał moje serce...".

Mail po mailu. Piąty, dziesiąty, siedemnasty.

Czytał pełne miłości słowa, skierowane do tamtego skurwysyna, i bladł z narastającej furii. Nadchodziło szaleństwo. Weronika widziała to i pierwszy raz, od kiedy byli razem, nie bała się go. Już nie. Jeśli ją zabije, trudno.

Odwrócił się od komputera i patrzył na nią długą chwilę, nabiegłymi krwią oczami.

– Cóż... – westchnęła, rozkładając ręce. – Taka jest prawda. Ciebie nie kochałam nigdy. Jego od zawsze i na zawsze. Całym sercem.

Dopadł jej w dwóch krokach i zaczął bić.

Metodycznie, jak robot, tłukł nieopierającą się kobietę tak, żeby nie zabić. Żeby na dłużej starczyła. To, że ona nie krzyczy, nie broni się i nie błaga o litość, rozjuszało go jeszcze bardziej. Chwycił ją rozcapierzonymi dłońmi za głowę i zaczął miażdżyć. Patrzyła mu prosto w oczy.

– Pętak – wydusiła. – Żałosny pętak. Tylko znęcać się nad bezbronną potrafisz.

Odepchnął ją z całej siły. Wpadła na łóżko.

Pochylił się nad nią, aż skuliła się odruchowo, pewna, że teraz ją zabije. Ale on wycedził tylko:

– Zniszczę cię. I jego też. Zniszczę was oboje.

Komputer wyleciał przez okno razem z szybą.

Jeremi wypadł z pokoju, zamykając drzwi na klucz.

ROZDZIAŁ XXVI

EWA

Trzymał Weronikę w zamknięciu dotąd, aż z jej twarzy, ramion, pleców i nóg nie zeszły ślady uderzeń. Nie był głupi. Jedna jej wizyta na pogotowiu albo od razu na policji i on, Jeremi, miałby kłopoty.

Już wystarczyło tych, których do tej pory narobiła: na wsi za nim spluwali, w pracy – w rozplotkowanym środowisku, w którym doktorek również był znany z jurności, wieści o kłopotach z żoną rozeszły się z prędkością światła – szeptano po kątach, patrząc na niego z mieszaniną politowania i podziwu. No, no, Wiśniowski zaszalał, dwie kochanki i nieślubne dziecko!

Wreszcie ktoś doniósł, że równie beztrosko poczyna sobie z pielęgniarkami i dostał wypowiedzenie, o co obwinił, rzecz jasna, swoją żonę. Gdyby nie ta pierdolona histeryczka, wszystko zostałoby w domu! „Brudy pierze się we własnych czterech ścianach", powtarzała mu przez całe życie matka, co parę miesięcy traktowana ciężką ręką ojca. Ale nie, Weroniczka musiała poskarżyć się całemu światu, jak to jej źle w małżeństwie. Dostaniesz, suko, za swoje...

Przynosił na poddasze kanapki i wodę w butelkach, wchodził do środka, żeby się upewnić, że Weronika żyje, patrzył na jej posiniaczoną twarz i cedził:

– Mogłaś mieć wszystko. Mnie i moją miłość. Ale ty to wszystko zniszczyłaś. Podeptałaś moje szczere uczucie. Naplułaś na małżeństwo. Dopilnuję, byś za to zapłaciła. Krwawymi łzami zapłaczesz, wspominając dzień, w którym pierwszy raz mnie zdradziłaś.

Obojętnie słuchała pełnych nienawiści słów. Ta obojętność również doprowadzała go do pasji, ale już potrafił się opanować, w przeciwnym razie by ją zabił...

– Tobie już całkiem odbiło, synu – zaczął doktor Wiśniowski na widok zwiniętej pod kołdrą kobiety. – Nie możesz jej więzić! To kryminał!

Chwilę wcześniej wpadł do ich domu, blady z przerażenia. „Życzliwy" mu doniósł, że jego syn zamordował Weronikę. Nie pokazała się od miesiąca, pewnie przetrzymuje jej zwłoki na strychu albo już dawno zakopał w ogrodzie. Roztrzęsiony wykrzyczał te słowa Jeremiemu w twarz. Ten odparł, że Weronika żyje i ma się dobrze.

– Chcę ją zobaczyć! Natychmiast!

Cóż było począć.

Weszli na strych, Jeremi przekręcił klucz w zamku i wpuścił ojca do środka. Doktor Wiśniowski pochylił się nad nieruchomym ciałem, przekonał się, że kobieta oddycha i jest przytomna. Zbadał ją pobieżnie, nie znajdując żadnych śladów przemocy – już nie – po czym odwrócił się do syna i rzekł stanowczo:

– Ona musi pokazać się ludziom, rozumiesz, półgłówku?! Masz ją wykąpać, przebrać w ładną sukienkę i wyprowadzić na spacer. Cała wieś musi zobaczyć ciebie z żoną, jak ta pogrążona w rozpaczy po stracie dziecka, ale spokojna, towarzyszy ci w drodze do kościoła. Potem, gdy wszyscy się przekonają, że Wera żyje, jest cała i zdrowa… – Obrzucił synową pełnym niechęci spojrzeniem i wyszeptał Jeremiemu na ucho krótką instrukcję. Tak cicho, że nie mogła tego słyszeć.

Jeremi posłuchał rady ojca.

Najpierw zabrał Weronikę na piętro, do małżeńskiej łazienki. Posadził ją w wannie i dotąd oblewał zimną wodą, aż zaczęła szczękać zębami. Nie to, żeby w kranie nie było ciepłej, po prostu chciał żonę jeszcze trochę podręczyć, bo zostało mu na te przyjemności mało czasu. Umył jej długie, kasztanowe włosy, wkręcając w nie palce tak, żeby bolało. Wytarł do sucha, ubrał w najładniejszą sukienkę, jaką znalazł w szafie, narzucił na jej ramiona płaszcz, na nogi założył kozaki i wyprowadził na spacer.

Owe zabiegi znosiła w ciszy. „Ani drgnij. Nie oddychaj. Milcz", powtarzała w myślach słowa, które pomogły jej przetrwać miesiąc w zamknięciu.

Świeże powietrze i światło dnia otumaniły kobietę, zaparły jej dech w piersiach. Stała przez chwilę na progu domu i bała się zrobić krok na przód. Zawrócić, uciec na poddasze, ukryć się pod kołdrą i trwać z dnia na dzień, z godziny na godzinę – tego absurdalnie zapragnęła.

Pchnął ją tak silnie, że mało nie upadła. W następnej chwili podtrzymał troskliwie.

„Psychol pieprzony…".

Pod rączkę, niczym przykładne małżeństwo, uśmiechając się do sąsiadów, którzy od razu zaczęli szeptać, przeszli przez całą wieś. Ludzie oglądali się za Weroniką z mieszaniną współczucia i ulgi na twarzach. Byli pewni, że w szarym domu na końcu wsi doszło do tragedii. Że doktorek zamordował swoją śliczną, rudowłosą żonę. Tymczasem miała się dobrze. Była smutna – „rozumie pani, moja żona do tej pory nie otrząsnęła się po stracie" – lecz żywa, to najważniejsze.

Jakoś nikomu z tych dobrych, w swoim mniemaniu, ludzi nie przyszło do głowy sprawdzić, co się stało z Weroniką Wiśniowską, nie zapukali do drzwi szarego domu, gdy doktor miał dyżur w szpitalu, nie wezwali policji, kiedy na serio zaczęli się o doktorową niepokoić. Cała wieś była niczym trzy małpy „nie mów, nie patrz, nie słuchaj", gdy Weronika, skatowana do nieprzytomności, konała z bólu…

Zawrócili.

Jeremi otworzył przed nią drzwi ich domu. Serce mimo woli ścisnęło się jej ze strachu. Zanim weszła do ciemnego korytarza, obejrzała się za siebie, jakby ostatni raz miała patrzeć na spokojny, pełen słońca świat.

Pchnął ją do środka.

Potem wszystko potoczyło się błyskawicznie.

Wyjął z kieszeni dwieście złotych, pomachał nimi kobiecie przez nosem, wsunął do jej portfela. Sprawdził, czy są w nim dokumenty. Były. Podniósł z szafki na buty jej torebkę, wrzucił do środka portfel. Zniknął na chwilę w lecznicy, by wrócić z metalowym pudełkiem w rękach. Wylądowało obok portfela. Obejrzał Weronikę ze wszystkich stron, czy ma wszystko, czego trzeba, po czym przewiesił jej torebkę przez ramię, z powrotem otworzył drzwi, wypchnął kobietę za próg i rzekł krótko:

– Wypierdalaj.

Obejrzała się na niego zszokowanymi oczami.

Drzwi zatrzasnęły się.

Stała długą chwilę na progu, nie wierząc w to, co przed chwilą się stało, a potem ruszyła – marionetka z odciętymi sznurkami – przed siebie…

*

– Ewka, do kurwy nędzy! – Konrad, który właśnie doczytał ten rozdział jej powieści do końca, odepchnął się z całych sił od biurka, przejechał na obrotowym fotelu przez pół pokoju i odbił od ściany. – Sorry, za bluzg, ale... no do kurwy nędzy... nie mów, że pozwoliłaś się łachudrze, ot tak, wysiudać z domu!?

Wzruszyła po swojemu ramionami.

– W sukience, płaszczyku, z dwiema stówami w kieszeni?!

– Trzema. Jedna była moja.

– Trzema. Po pięciu latach małżeństwa szczyl zasrany puszcza cię w skarpetkach...

– W sukience i płaszczyku.

– Nie kpij sobie ze mnie! Puszcza w skarpetkach ciebie, Ewę Kotowską?! Przecież jesteś waleczną kobietą! Odważną i bezkompromisową! Jak mogłaś na to pozwolić?!

– Konrad – zaczęła, trochę rozbawiona i trochę wzruszona jego wzburzeniem – pamiętaj, że byłam wtedy bardzo chora. Miesiąc wcześniej straciłam dziecko, potem zostałam ciężko pobita. Trzymał mnie kilka tygodni w zamknięciu. Gdy w końcu wypuścił... – Pokręciła głową. – Nie miałam siły, by walczyć z nim o cokolwiek. Poza tym, przyznaję się do tego otwarcie, śmiertelnie się go bałam. Przez wszystkie te dni, gdy trzymał mnie zamkniętą na strychu, myślałam, że nie wyjdę z jego łap żywa. Gdy mnie wypuścił... Naprawdę wolałam o nic się nie upominać.

– Ale później, po rozwodzie, odzyskałaś pół domu?

– Dom był jego. Forsę dali Wiśniowscy i dopilnowali, bym nie znalazła się w akcie notarialnym.

– Więc zostałaś z niczym?

Przytaknęła i dodała:

– W sukience, płaszczyku i z trzema stówami.

Zacisnął pięści, aż pobielały mu knykcie.

– Gdzie był twój Wiktor?! Zadra, który przyrzekł się tobą opiekować?! Ten cały doktor Kochanowski?! Kiwnęli choć palcem, gdy łachudra znęcał się nad tobą?!

– Żaden z nich o niczym nie wiedział – odparła cicho. – Nie prosiłam o pomoc.

– Cała Ewka-dam-sobie-radę. Normalnie, cała ty! Będziesz zdychać z głodu albo depresji, ale przyjaciół o pomoc nie poprosisz! Czasem cię za to szczerze nienawidzę.

W odpowiedzi cmoknęła go w policzek. I dodała:

– A ja ciebie kocham. Jesteś moim ukochanym wydawcą.

– Bo jedynym.

Uśmiechnęła się.

– Wiesz, że gdybym chciała…

– Tak, szantażystko, przyjęliby cię z otwartymi ramionami w każdym innym wydawnictwie. Ale kto by z tobą, Ewuś, na dłuższą metę wytrzymał?

– O to samo mogłabym zapytać ciebie.

Nie wiadomo, jak długo przerzucaliby się złośliwościami, były one niezbędnym atrybutem ich przyjaźni, przerwało im pukanie do drzwi i chwilę później do pokoju wpadł…

– Kubuś! – Ewa rozłożyła ramiona.

Chłopczyk wpadł w nie z impetem i przytulił się do matki.

Konrad patrzył nie na dziecko, a na Ewę. Była w tym momencie uosobieniem miłości. Całowała czarne włoski synka i tuliła go z bezgraniczną czułością, pytając półgłosem, jak mu minął dzień?, czy grali po zajęciach w nogę?, może jest głodny? Chłopczyk odpowiadał mamie z przejęciem. Czarne jak węgiel oczy błyszczały radością życia. Miał śniadą karnację jak… jego tatuś. Jeśli Konrad żywił do tej pory jakieś wątpliwości, w tej chwili rozwiały się raz na zawsze. Miał przed sobą sześcioletnią kopię Wiktora Helerta czy raczej Jakuba Andrasza. To on był ojcem małego Kubusia. Pytanie, co się z tym draniem stało, że Ewa mieszka w dalekiej Australii, samotnie wychowując jego dziecko?

Odwrócił się z powrotem do komputera. Otworzył plik z „Zagubioną".

Może jeszcze dziś pozna odpowiedź…

*

Jakim cudem Weronika dotarła do Warszawy? Pozostało dla niej tajemnicą. Z wielogodzinnej podróży autobusami i pociągami nie zapamiętała nic. Szła, pierwszy pociąg, wsiadała, wysiadała, szła dalej, pociąg drugi – nie wiedzieć czemu jechała z przesiadką – Dworzec Centralny, tramwaj, a potem długi marsz ulicami Powiśla. Do domu.

Był późny wieczór, gdy w końcu stanęła pod drzwiami z numerem czwartym. Nacisnęła dzwonek. Ostry dźwięk przeszył ciszę, panującą wewnątrz. Czekała przez dobre dwie minuty, ale nikt nie otworzył. Usiadła więc na ostatnim stopniu brudnych, lepiących się do rąk i nóg schodów i zamarła w oczekiwaniu na... cokolwiek.

Umysł miała całkowicie pusty. Gdyby zaczęła myśleć, rozsypałaby się. Tak po prostu. Trwała więc nieruchomo niczym żywy posąg dotąd, aż na parterze rozbrzmiały ciężkie kroki, a potem chrapliwy głos matki.

Podniosła się na miękkich nogach, błagając w duchu i matkę, i Boga o zmiłowanie.

Marzena na widok córki stanęła jak wryta. Opasły basior wyjrzał zza jej pleców i uniósł brwi.

– Mamo... jestem... – szepnęła Weronika łamiącym się głosem.

Czekała – jak dziewięć lat temu, gdy wróciła do domu z pogrzebu babci Steni – aż matka otworzy ramiona, zamknie w nich wyczerpaną do granic wytrzymałości córkę i szepnie: „Witaj w domu, wszystko będzie dobrze". Lecz o takim powitaniu mogła jedynie marzyć, bo jak dziewięć lat temu usłyszała podobne, wyzute z uczuć słowa:

– Co ty tu robisz? Czego znów chcesz? Nie ma miejsca.

– Jeremi... mój mąż... wyrzucił mnie z domu.

Stały naprzeciw siebie. Weronika blada z rozpaczy i wyczerpania. Marzena mierząca ją wrogim spojrzeniem. Znów będzie się, mała dziwka, wdzięczyła do jej chłopa? Niedoczekanie!

– Będziemy tu sterczeć w nieskończoność? – dobiegło ją warknięcie. – Daj dziewczynie klucze do kawalerki i po sprawie.

– Kawalerka idzie w najem, a ta nie ma pewnie forsy. – To nie było pytanie. Nie dała córce szansy na odpowiedź.

– Przestań pierdolić, bo głodny jestem.

Basior odepchnął ją na bok, otworzył drzwi do ich mieszkania. Wyszedł po chwili z kluczami, wcisnął je Weronice do ręki i puścił oczko, mówiąc:

– Znaj serce pana.

Przełknęła upokorzenie.

– Najwyżej na dwa dni, rozumiesz?! – Marzena, gdyby mogła, splunęłaby jej pod nogi. – Pojutrze ma cię tu nie być. I nic mnie nie obchodzi, dlaczego znów jesteś na ulicy! Radź sobie sama, skoro dobrego serca nie potrafisz docenić!

Kiwnęła głową, bezwolna niczym kukiełka, weszła do środka i zamknęła za sobą drzwi.

– Nawet nie podziękuje, widzisz ty? Nie dziwota, że tamten ją pogonił. Kto by wytrzymał z podłą, niewdzięczną gówniarą – dobiegły ją jeszcze wściekłe słowa matki i wreszcie zapadła cisza.

Na uginających się nogach przeszła przez ciemny korytarz, włączyła światło. Pokój był tak samo obskurny, jak wtedy, gdy w zamieszkała w nim po raz pierwszy. Przybyło jedynie biurko, a na nim stary, zdezelowany laptop.

Usiadła ciężko na łóżku, śmierdzącym i zakurzonym. Torebka upadła na podłogę. Nie miała sił, żeby ją podnieść, odwiesić na kołek w przedpokoju, zdjąć ubranie, wejść pod prysznic, zmyć z siebie trudy podróży i położyć się spać.

Nie miała siły na cokolwiek.

Skuliła się wpół i ukryła twarz w dłoniach, szlochając cicho, bezradnie.

Wydarzenia ostatnich kilku tygodni, które przewróciły jej spokojne, bezpieczne życie do góry nogami, nie mieściły się jej w głowie. Czy to możliwe, że półtora miesiąca temu nosiła pod sercem maleńką dziewczynkę i była najszczęśliwszą kobietą pod słońcem? Miała dom, z zewnątrz brzydki, ale w środku przytulny, miała swoją lecznicę i pacjentów. Nawet, o ironio, kochającego męża miała! Kochającego... dobre sobie. Kochającego na pieska sprzątaczkę, to tak.

I nagle ta ułuda szczęścia pryska. Ona, umiłowana małżonka Jeremiego Wiśniowskiego, okazuje się „najgorszą żoną, kochanką i matką", „najgorszym lekarzem i człowiekiem".

Na koniec własna matka wraża jej w serce najpodlejsze słowa: „Nic dziwnego, że tamten ją pogonił. Kto by wytrzymał...".

Dosyć, już dosyć!

Kiwa się w tył i w przód, krzycząc bezgłośnie. Ile bólu może znieść człowiek. I za co? Za co, na miłość boską?! Kto znów ją przeklął?!

Jest sama, jak dziewięć lat temu. Nikogo nie obchodzi, co się z nią stanie. Nikt się nie zainteresuje, gdy jutro ona nie podniesie się z łóżka. Nikt nie zajrzy i nie zapyta, czy pomóc jej w czymś, może podać herbatę, zrobić kanapkę z powidłami? Jest sama. Straciła maleńką dziewczynkę, straciła Wiktora i jest sama, sama, sama…

Wstaje, siada przy biurku, włącza komputer, niezdziwiona, że ten nie tylko działa, ale i łączy się z internetem. Weroniki w tej czarnej godzinie nic nie jest w stanie zdziwić.

Loguje się do poczty, ledwie widząc co pisze, przez spuchnięte od łez oczy.

Płomyk nadziei trzepocze w sercu kobiety, ale w skrzynce odbiorczej jak zwykle nie ma nic. Jeden mail od Wiktora mógłby Weronikę uratować, ale nie ma nic…

Palce dotykają klawiszy. Weronika pisze do niego ostatni list.

„Kochany mój, żegnaj. Ja już dłużej nie potrafię żyć. Pamiętaj, że byłeś moją jedyną miłością. Żegnaj, Wiktor i wybacz, że wtedy, pięć lat temu, wybrałam jego, a nie Ciebie".

Wyślij.

Wpatruje się długie minuty w pusty ekran. Jeśli miała odrobinę wiary, że stanie się cud i tym razem Wiktor odpisze, gaśnie ona równie szybko, co rozładowany laptop.

Cierpienie staje się nie do zniesienia. Weronikę może uratować tylko większy ból. Przechodzi do małej, cuchnącej łazienki, zabierając po drodze torebkę. Siada pod ścianą i wyjmuje lśniący, gładki pojemnik. Przytyka go do rozpalonego policzka. Chłodny metal przynosi odrobinę ulgi. „Dziękuję, doktorze", posyła Piotrowi serdeczną myśl, po czym zdejmuje wieczko i wyciąga skalpel. Ostry i smukły dobrze leży w jej dłoni.

Podwija rękawy sukienki.

Pod cienką, niemal przezroczystą skórą, pulsują leciutko błękitne żyły.

„Zrób to, zrób to, zrób to!", skowyczy w jej duszy. „Wreszcie to zrób!".

Niech to się skończy…

Zaciska zęby i z całej siły przeciąga ostrzem po skórze. Tryska krew. Weronika przygląda się przez chwilę ciepłym, szkarłatnym strugom, a potem bierze skalpel w drugą dłoń i z całej siły tnie drugi nadgarstek.

Nie boli.

A przynajmniej nie tak strasznie, jak ten skowyt w sercu.

Opiera głowę o brudne kafelki, opuszcza ręce i zamyka oczy.

Czuje ulgę…

Krew rozlewa się dookoła niej coraz większą kałużą.

Tak jest dobrze. Już nigdy więcej…

Serce, które przed chwilą łomotało wściekle, uspokaja się, jakby ten straszny czyn podziałał na nie kojąco. Jakby wypływająca z każdym uderzeniem krew, oczyszczała je ze złych uczuć, pozbawiała niechcianych wspomnień i emocji.

Moja maleńka dziewczynko – Weronika posyła córeczce ostatnią myśl – niedługo się spotkamy. Wezmę cię w ręce i przytulę…

Myśl gaśnie, niedokończona.

Ciało przechyla się do przodu i łagodnie upada na zimną, kamienną podłogę. Serce bije coraz wolniej. Na twarzy Weroniki pojawia się delikatny uśmiech, jakby ostatkiem świadomości ujrzała kogoś bliskiego i kochanego.

Nie jest już sama.

*

Tej nocy Weronika odejdzie raz na zawsze.
Jej miejsce zajmie Ewa Kotowska. Pisarka.

KONIEC TOMU II

Ciąg dalszy w tomie III pt. „Marzycielka"

TRYLOGIA AUTORSKA

PISARKA

ZAGUBIONA

MARZYCIELKA

SERIA AUTORSKA DOSTĘPNA TAKŻE JAKO
E-BOOK I AUDIOBOOK

SERIA DLA DOROSŁYCH

ŚCIGANY

MISTRZ

ZEMSTA

SERIA MAZURSKA

GWIAZDKA Z NIEBA

PROMYK SŁOŃCA

KROPLA NADZIEI

TRZY ŻYCZENIA

SERIA LEŚNA

LEŚNA POLANA

CZERWIEŃ JARZĘBIN

BŁĘKITNE SNY

SERIA Z KOKARDKĄ

SKLEPIK
Z NIESPODZIANKĄ
BOGUSIA

SKLEPIK
Z NIESPODZIANKĄ
ADELA

SKLEPIK
Z NIESPODZIANKĄ
LIDKA

SERIA KWIATOWA

OGRÓD KAMILI

ZACISZE GOSI

PRZYSTAŃ JULII

SERIA OWOCOWA

ROK W POZIOMCE

POWRÓT DO POZIOMKI

LATO W JAGÓDCE